PROFI

Collection créé

D0231869

L'École des femmes (1662)

MOLIÈRE

PASCAL DEBAILLY
Ancien élève de l'École normale supérieure
Agrégé des lettres

Sommaire

© HATIER, Paris, août 2002 ISSN 0750-2516 ISBN 978-2-218-74407-5

Toute représentation, traduction, adaptation ou reproduction, même partielle, par tous procédés, en tous pays, faite sans autorisation préalable est illicite et exposerait le contrevenant à des poursuites judiciaires. *Réf* : *loi du 11 mars 1957, alinéas 2 et 3 de l'article 41*. Une représentation ou reproduction sans autorisation de l'éditeur ou du Centre français d'exploitation du droit de Copie (20, rue des Grands-Augustins, 75006 PARIS) constituerait une contrefaçon sanctionnée par les articles 425 et suivants du Code pénal.

Lectures analytiques

Les indications de vers ainsi que les extraits choisis pour les lectures analytiques renvoient à L'École des femmes *de la collection « Classiques & Cie » (Hatier, 2003).*

Maquette : Tout pour plaire
Mise en page : Graphismes

FICHE PROFIL

L'École des femmes (1662)

Molière (1622-1673)

| Théâtre | XVIIe siècle |

RÉSUMÉ

Arnolphe, qui se fait appeler Monsieur de la Souche a fait élever à l'écart du monde une jeune fille du nom d'Agnès qu'il s'apprête à épouser. Agnès est séquestrée dans une maison gardée par Alain et Georgette. Parti en voyage, Arnolphe rentre chez lui. Pendant son absence, Agnès est tombée amoureuse d'Horace. Le jeune homme se confie à Arnolphe sans savoir qu'Arnolphe et Monsieur de la Souche ne font qu'un (acte I).

Arnolphe questionne Agnès pour savoir jusqu'où les amoureux sont allés. Il décide de l'épouser le jour même (acte II).

Arnolphe prépare la jeune femme au mariage. Agnès a l'air soumise. Survient Horace qui raconte la manière brutale avec laquelle il a été chassé de la maison. Agnès lui a jeté une pierre, mais elle y a accroché une lettre d'amour. Arnolphe est consterné (acte III).

Il donne de nouvelles consignes à ses valets. Peine perdue : Horace vient lui raconter comment il s'est introduit dans la maison de Monsieur de la Souche. Il s'apprête à enlever la jeune fille la nuit suivante. Arnolphe prépare un guet-apens (acte IV).

Horace, venu enlever Agnès, est tombé de l'échelle qu'il montait pour la retrouver. La jeune fille réussit à venir à son secours. En attendant de pouvoir se marier avec elle, Horace la confie à Arnolphe qui se cache le visage dans un manteau. Une fois seul en présence d'Agnès, Arnolphe se démasque. La jeune fille lui tient tête. Le barbon stupéfait lui fait alors une déclaration d'amour. Mais voici que le père d'Horace et celui d'Agnès rentrent d'Amérique pour marier les deux jeunes gens. Arnolphe effondré disparaît (acte V).

- **Arnolphe** : bourgeois vaniteux, barbon terrorisé par le cocuage.
- **Agnès** : pupille d'Arnolphe et amoureuse d'Horace.
- **Horace** : jeune galant, passionnément amoureux d'Agnès.
- **Chrysalde** : ami d'Arnolphe, homme de bon sens.
- **Alain et Georgette** : domestiques d'Arnolphe.
- **Un notaire** : personnage grotesque.
- **Oronte** : père d'Horace et grand ami d'Arnolphe.
- **Enrique** : beau-frère de Chrysalde.

CLÉS POUR LA LECTURE

1. Le thème du mariage et du cocuage

La pièce a pour enjeu un mariage forcé : Arnolphe veut contraindre Agnès à l'épouser. Le thème du mariage est relié à celui du cocuage, source d'un grand comique au XVIIe siècle. Arnolphe, le personnage principal, éprouve une angoisse maladive à l'idée d'être trompé.

2. L'école de l'amour

La pièce décrit un apprentissage amoureux. L'amour est le véritable moteur de l'action. Non seulement il permet à Agnès de se révéler, mais il fait aussi évoluer Arnolphe et Horace.

3. Le comique

Molière use de toutes les formes de comique dans *L'École des femmes*, depuis la grivoiserie propre à la farce jusqu'au raffinement de la grande comédie, en passant par le divertissement carnavalesque.

4. Le mélange des genres

Molière a voulu écrire une pièce comique. Mais il a donné à ses personnages une profondeur et une complexité qui les font échapper aux stéréotypes de la tradition comique. Le personnage d'Arnolphe, peut même acquérir une dimension tragique.

PREMIÈRE PARTIE

Résumé
et repères
pour la lecture

DÉDICACE *À MADAME* ET *PRÉFACE*

PAGES 7 À 10

RÉSUMÉ

Comme tout texte imprimé du XVIIᵉ siècle, *L'École des femmes* débute par un texte de dédicace *À Madame*, autrement dit à Henriette d'Angleterre, femme de Philippe d'Orléans, frère de Louis XIV et protecteur de la troupe de Molière. Ce texte commence d'abord par un aveu : Molière se sent mal à l'aise dans l'exercice de la dédicace. Il fait cependant don de son livre à la Princesse, dont il fait un long éloge, de manière à ce qu'elle continue à le protéger.

La *Préface*, qui suit la dédicace, est un texte polémique, qui répond aux calomnies dont Molière a fait l'objet après le succès sans précédent des premières représentations de la pièce. L'auteur y explique les conditions dans lesquelles il a rédigé *La Critique de l'École des femmes*, qui s'efforce de riposter, point par point, sur le mode théâtral, aux attaques dont la pièce a été la cible.

REPÈRE POUR LA LECTURE

Sens et fonction de la dédicace et de la préface

Ces deux textes liminaires sont importants pour comprendre le fonctionnement et le rôle de la littérature au XVIIᵉ siècle. La dédicace, obligatoire pour tout ouvrage à l'époque, obéit à un code très précis. L'écrivain a besoin de la protection d'un grand seigneur pour composer et pour vivre. C'est pourquoi le livre s'inscrit dans un réseau complexe d'échange, de dons et de contre-dons. La dédicace prend la forme d'un éloge qui exalte, en les idéalisant, les qualités du destinataire. Au temps de Molière, toutes les œuvres quasiment sont dédiées à Louis XIV ou à des membres de son entourage. Le Roi-Soleil s'avère être le dédicataire ultime de la pièce. Et de fait Molière va longuement travailler pour lui.

La *Préface* pose au XVIIe siècle la question de la légitimité de la comédie, de la difficulté à représenter et à publier des textes comiques. Le dramaturge comique doit sans cesse se justifier de faire rire. L'autre intérêt de cette préface concerne la notion même d'auteur. Molière n'hésite pas à se mettre en valeur et à exhiber sa relation privilégiée avec le public : ce ne sont pas les savants et les doctes qui font la réputation d'une pièce, mais le plaisir qu'y prennent « les rieurs ». Cette revendication de l'importance du public dans le succès d'une œuvre apparaît comme tout à fait moderne.

ACTE PREMIER

SCÈNES 1 À 4

RÉSUMÉ

À l'âge de quarante-deux ans, Arnolphe est un bourgeois redouté avec des prétentions nobiliaires qui se fait appeler « Monsieur de la Souche », du nom d'une métairie dont il est propriétaire. Il n'a pas son pareil pour se moquer des cocus de la ville dont il fait la caricature devant son ami Chrysalde et a si peur du cocuage qu'il a pris une « précaution ». Quelques années auparavant, il est devenu le tuteur d'une petite fille de quatre ans, Agnès, élevée de manière à ce qu'elle reste « sotte ». Maintenant en âge de se marier, elle loge dans une maison à côté de la sienne, séquestrée par deux domestiques, Alain et Georgette. Arnolphe se prépare à l'épouser le lendemain (scène 1). Après quelques jours d'absence, il vient rendre visite à Agnès. Mais il a du mal à se faire reconnaître de ses domestiques (scène 2). Il se réjouit de trouver Agnès en train de faire de la couture, car c'est à ses yeux l'indice qu'elle sera une bonne ménagère et une épouse docile (scène 3). Survient Horace, le fils de son meilleur ami, Oronte. Le jeune homme lui apprend qu'il a séduit une jeune fille du nom d'Agnès que séquestre un certain Monsieur de la Souche. Profitant du quiproquo sur son identité, Arnolphe devient le confident des amours du jeune homme (scène 4).

REPÈRES POUR LA LECTURE

Un acte d'exposition informatif

Dans une pièce classique, le premier acte est consacré à l'exposition de l'action. Les personnages principaux et les circonstances nous sont présentés ainsi que les éléments fondamentaux de l'intrigue. Molière adopte ici un schéma d'exposition courant : la conversation entre un personnage principal (Arnolphe) et un personnage secondaire (Chrysalde).

La courte apparition d'Agnès, à la scène 3, dévoile un personnage qui répond en apparence aux désirs de son maître : une créature sotte et innocente, uniquement absorbée par des besognes ménagères. Mais elle est moins ingénue qu'il paraît. La suite de la pièce va montrer une accélération de son évolution et de son éveil au monde grâce à l'illumination de l'amour. Ainsi est justifié l'un des sens possibles du titre, *L'École des femmes*, qui implique l'idée d'un parcours initiatique, d'un apprentissage conduisant de l'enfance à l'âge adulte. Mais *L'École des femmes*, ce sera aussi l'apprentissage qu'Agnès fait subir à Arnolphe et Horace.

La rencontre avec Horace à la scène 4 met en place un quiproquo[1] qui ne sera levé qu'à l'acte V. Pendant la plus grande partie de la pièce, Horace pensera que Monsieur de la Souche et

---

1. *Quiproquo* : malentendu où l'on prend une personne pour une autre. N'est-ce pas un peu réducteur comme définition ? Merci de développer davantage.

Arnolphe sont deux personnes différentes. Arnolphe prend bien soin de différencier les deux personnages de manière à demeurer le confident du jeune homme qui, en toute confiance, lui révèle la progression de son idylle avec Agnès.

À la fin de l'acte, tout est prêt pour que la crise éclate. Une course de vitesse s'engage entre deux hommes amoureux de la même femme. Arnolphe part en position de force : il détient l'autorité et la maîtrise des lieux. Mais il a sous-estimé le pouvoir et les ruses de l'amour. Tout puissant qu'il est, il ne pourra rien contre l'habileté et la passion réciproque des deux jeunes gens.

Le respect des règles classiques

Le premier acte noue l'action en déclenchant une crise : les plans d'Arnolphe sont contrariés par les manœuvres de séduction d'Horace. La perturbation occasionnée par la crise produit une accélération du temps. Il s'agit de savoir qui du barbon ou du jeune homme finira par épouser Agnès. S'engage alors une course de vitesse, sous le signe de l'urgence. L'action n'excède pas les vingt-quatre heures.

L'acte I, comme le reste de la pièce, se situe non pas dans mais devant la maison où Agnès est séquestrée, sur « une place de ville ». Cette disposition des lieux conditionne l'action. La maison d'Agnès est bien l'espace à conquérir, l'espace à l'intérieur duquel il faut s'introduire pour gagner le cœur de la jeune fille, mais aussi l'espace interdit sur lequel veille jalousement le barbon dans la position ancestrale du dragon des contes de fée. Alain et Georgette, les domestiques, remplissent aussi la fonction du dragon préposé à la garde de la jeune fille, mais sur un mode burlesque.

Par la simplicité de son action, par l'accélération d'une intrigue qui promet de ne guère durer plus d'une journée, par l'unicité d'un lieu ouvert où se croisent tous les personnages, L'École des femmes se veut une pièce qui obéit aux règles du théâtre classique, notamment celle des trois unités : unité d'action, de temps et de lieu. En dépit de ses aspects farcesques, Molière s'emploie

en outre à respecter les bienséances. L'épisode le plus romanesque de l'acte – la séduction d'Agnès par Horace, qui a réussi
à entrer en relation avec elle – n'est pas représenté ; il fait l'objet
d'un récit qui met les faits et les corps amoureux à distance, qui
leur ôte tout réalisme (scène 4).

Le dynamisme de l'amour

L'amour est le grand moteur de l'action dramatique dans
L'École des femmes : non seulement il conditionne les relations
entre les personnages principaux, mais il détermine les sentiments
de sympathie ou d'antipathie du lecteur à leur égard. Comme
dans la plupart des pièces de Molière, un conflit surgit entre la
dure loi des pères et le désir amoureux des enfants. Bien qu'il ne
soit pas réellement le père d'Agnès, Arnolphe, à cause de son âge
et de sa position sociale, se trouve dans une position paternelle.
Le problème se complique dans la mesure où non seulement il
veut imposer à Agnès sa volonté, mais il désire l'épouser alors
qu'elle pourrait être sa fille. Son opposition à Horace ne relève
donc pas uniquement du conflit traditionnel des générations,
source essentielle de la dramaturgie, mais aussi d'une rivalité
amoureuse. Cette situation conjuguée de père et de rival
condense des potentialités dramatiques qui rendent le comique
plus complexe et plus intense.

Mariage, honneur et cocuage

Le mariage est l'enjeu final de l'intrigue. Il noue le fil des
événements. Arnolphe s'apprête à épouser sa protégée. Mais dès
la scène 4, Horace se pose en obstacle et en opposant à cette
union. Il s'agit d'un *mariage forcé*, motif récurrent dans le théâtre
moliéresque : un père contraint son fils ou sa fille à un mariage
qu'il ou qu'elle ne veut pas. Le motif du mariage pose la question
de la condition féminine au XVIIe siècle. Agnès nous apparaît à la
merci d'Arnolphe, dans une situation de totale dépendance.

À la question du mariage est liée celle du cocuage. La folie
d'Arnolphe, à l'origine de la séquestration d'Agnès en bas âge, a

pour cause la hantise du cocuage. La première scène développe longuement le thème. Le cocuage a d'autant plus d'importance que la société du XVIIe siècle, encore très largement féodale, est une civilisation qui repose sur l'honneur, autrement dit la bonne réputation. Or Arnolphe ne veut pas être compté au nombre des maris trompés dont il fait cruellement la caricature dans la scène liminaire. Le cocuage peut transformer un mariage en déroute de l'honneur pour le mari.

Un comique de farce

La situation de cocuage nourrit largement le comique de farce au XVIIe siècle. Or le cocuage implique de lourds sous-entendus sexuels qui suscitent toujours le rire et une forme de gaieté franche. Les « cornes » (v. 12) symbolisent le mari cocu ; Arnolphe vit dans la terreur d'avoir à en porter. Le motif du cocuage repose sur des situations grivoises utilisées par les auteurs comiques depuis le Moyen Âge. La singularité de ce motif, dans *L'École des femmes,* tient au fait qu'Arnolphe va tomber dans la situation qu'il, cherchait à éviter par tous les moyens.

Dès le premier acte, Arnolphe est, pour ainsi dire, cocu. La force comique du cocuage est augmentée par le motif, non moins récurrent dans la farce, de l'arroseur arrosé. La farce met en place un renversement de situation qui fait déjà d'Arnolphe un roi détrôné, un roi bouffon comme le roi du carnaval. Le comique de farce au XVIIe siècle n'est pas dissociable du carnaval, fête populaire qui repose sur un rabaissement de toutes les formes d'autorité. Les pères y sont défaits au profit des fils et des filles dont les désirs triomphent.

ACTE II

RÉSUMÉ

Très en colère, Arnolphe reproche à Georgette et Alain d'avoir laissé entrer un homme dans la maison ; les valets sont terrorisés (scènes 1, 2 et 3). Prenant sur lui, Arnolphe va s'efforcer de contrôler la situation et de savoir ce qu'il en est exactement de la situation (scène 4). Il soumet donc Agnès à un long entretien, qui tourne à l'interrogatoire. La jeune fille finit par lui raconter les circonstances dans lesquelles elle a fait connaissance avec Horace. Le jeune homme lui a fait de longues déclarations d'amour. Elle ne cache pas son plaisir d'autant plus qu'il la couvrait de baisers. Arnolphe la presse de questions afin de savoir s'ils sont allés plus loin dans les manifestations amoureuses. Elle lui avoue seulement qu'elle s'est laissé dérober un « ruban ». Arnolphe respire, mais il a eu très peur. Il lui annonce qu'il a décidé de la marier : un instant Agnès exulte, pensant à Horace. Mais il s'agit d'un quiproquo, puisque c'est Arnolphe lui-même qu'elle doit épouser. Et si Horace reparaît, elle devra le chasser avec une pierre (scène 5).

REPÈRES POUR LA LECTURE

Une structure cyclique

L'acte II obéit à une construction dramatique qui reprend en partie celle du premier acte et qu'on retrouvera dans les autres parties de la pièce : d'abord dans une situation de domination et d'autosatisfaction, Arnolphe est confronté à une révélation qui le plonge dans le désarroi et la consternation. Il soumet Agnès à un interrogatoire qui lui fournit des informations auxquelles il ne s'attendait pas (scène 5). La jeune fille lui donne des détails précis qui montrent qu'elle est tombée amoureuse d'Horace. Ces révélations augmentent la douleur et le désespoir du barbon : « Ô fâcheux examen d'un mystère fatal, / Où l'examinateur souffre seul tout le mal » (v. 565-566).

Le quiproquo engendre des rebondissements et des coups de théâtre qui jouent un rôle déterminant dans la structure cyclique qui se reproduit d'acte en acte. Le quiproquo repose sur des malentendus, des méprises qui font avancer l'action et qui prennent place entre le moment initial de la satisfaction et celui de la révélation et de la déception. C'est Arnolphe redoutant que dans son enthousiasme amoureux Horace ait pris « le » pucelage de la jeune fille (v. 571), alors qu'il lui a simplement pris un « ruban » (v. 580); c'est Agnès pensant qu'Arnolphe a vraiment l'intention de la laisser épouser Horace, alors que c'est lui-même qu'il veut la marier (v. 629).

Tous ces éléments de tension que l'action dramatique met en évidence et qui rendent les apparences douteuses et problématiques accroissent le conflit qui oppose les personnages : conflit d'abord entre le maître et ses domestiques (scènes 3 et 4), conflit surtout entre le tuteur et la jeune fille (scène 4).

L'évolution d'Agnès sous l'emprise de l'amour

Arnolphe a organisé la vie d'Agnès de manière à la rendre « idiote » (v. 138). L'acte II montre qu'elle n'est pas aussi bête et ignorante que le croit son maître. Sous l'influence du sentiment amoureux elle accède progressivement à la conscience de son identité. Même si elle demeure encore assez naïve pour répondre en confiance au long interrogatoire que lui fait subir Arnolphe, elle n'est plus tout à fait l'ingénue qu'elle a pu être avant sa rencontre décisive avec Horace (scène 5). La puissance de l'amour la pousse déjà à se méfier de son maître et à se protéger. Aussi, quand Arnolphe lui demande ce qui s'est passé pendant son absence, elle ne lui parle pas aussitôt de l'événement le plus important pour elle : le début de sa relation amoureuse avec Horace, mais du « petit chat [qui] est mort » (v. 461).

Même au cours de l'interrogatoire, elle ne se montre pas aussi docile et manipulable que le voudrait Arnolphe. Ce dernier a beau lui démontrer que sa relation avec Horace « est un péché mortel » (v. 599), elle s'obstine à ne pas comprendre le mal qu'elle a pu faire. Agnès cherche à connaître la raison de ses sentiments et à analyser ses expériences, ce qui est une marque d'intelligence. Elle exprime aussi des désirs personnels. Désormais elle sait ce qu'elle veut : se marier avec Horace (v. 625-626). Or ce désir ne doit absolument rien à Arnolphe et à l'éducation qu'il lui a donnée.

Arnolphe contrôle encore la situation, mais les réparties d'Agnès montrent qu'elle commence à se révolter contre la servitude où elle est maintenue. *L'École des femmes* apparaît ainsi comme l'initiation d'une jeune fille qui d'un seul coup prend conscience d'une vie autonome grâce à la surprise de l'amour. Son ingénuité donne à l'expression de son amour une grande fraîcheur. La rencontre avec Horace a la poésie d'un conte bleu, où l'enfance le dispute à la féerie : ils ne se parlent pas, ils s'échangent interminablement des « révérences » (v. 484-502). De même, Molière sait faire parler Agnès avec toute la grâce de l'amour naissant. Lorsque Horace lui déclare son amour, elle éprouve un « certain je ne sais quoi dont elle est « tout émue » (v. 564).

Tyrannie et souffrance d'Arnolphe

Arnolphe se comporte en despote à l'égard d'Agnès et de ses domestiques. La société du XVIIe siècle favorise son despotisme dans la mesure où elle repose sur le patriarcat, c'est-à-dire sur la toute-puissance du père. Cette supériorité paternelle a pour conséquence une infériorisation des femmes et des enfants. Une femme au temps du Roi-Soleil est considérée toute sa vie comme une mineure; elle passe de la tutelle de son père à celle de son mari. Ainsi Agnès est normalement appelée à ne jamais échapper à l'autorité d'Arnolphe, à se comporter toute sa vie à son égard avec obéissance et soumission. Il est le maître et, comme le roi, son pouvoir est absolu. Dès qu'il sent qu'Agnès commence à se rebiffer, il rappelle sur un ton péremptoire ses prérogatives de « maître » (v. 642).

Mais, comme la plupart des pères dans les comédies de Molière, Arnolphe abuse de son pouvoir pour satisfaire son égoïsme et ses lubies, en l'occurrence sa hantise d'être trompé. Chez lui, le pouvoir légitime dégénère en tyrannie. Les relations qu'il entretient avec les autres ne reposent pas sur l'amour et la confiance, mais sur la peur. Il terrorise Agnès, mais aussi ses domestiques (scènes 2 et 3, v. 399).

Pour conforter sa tyrannie, Arnolphe n'hésite pas à utiliser les arguments culpabilisants de la religion. C'est ainsi qu'il n'arrête pas de diaboliser la conduite d'Agnès, comme en témoigne le champ lexical de la faute et de la culpabilité : « suppôt de Satan », « exécrable damnée » (v. 511), « péché mortel » (v. 599), « Ciel » (v. 602)… Ce vocabulaire est celui de la dévotion, ou plutôt de la fausse dévotion, qui consiste à parer de motifs spirituels des actes de manipulation tout à fait humaine et personnelle.

Arnolphe a beau être ridicule et tyrannique, il est aussi capable de souffrance, ce qui le rend humain et le fait échapper au « type » du personnage de farce. Les révélations qui lui sont faites altèrent ses certitudes. Avant qu'il ne se reprenne, on le voit céder à la panique et au désarroi (v. 393-394, 577). Il ne souffre pas seulement de constater que le cours des événements lui échappe, il se montre aussi torturé par la jalousie.

La fonction du monologue

Comme beaucoup de monomanes du théâtre de Molière, Arnolphe est isolé dans sa folie. La forme dramatique du monologue permet de figurer cet isolement, mais aussi l'ambiguïté et la complexité du personnage. Le protagoniste y exprime le fond de ses pensées et de son cœur. On compte deux monologues dans cet acte. Le premier (scène 1) enchaîne sur le monologue qui concluait l'acte précédent (scène 4) : Arnolphe est encore sous le coup des révélations d'Horace. Il ressent au fond de lui un « trouble impérieux » (v. 373), mais il n'est pas décidé à se laisser faire (v. 377).

Le second monologue, en présence d'Alain et de Georgette, répond au même dynamisme que le premier (scène 4). Arnolphe s'efforce de maîtriser sa « colère » (v. 449) et les « soupçons » de son « esprit malade » (v. 456). Avant de s'entretenir avec Agnès, il apparaît sûr de lui. Il pense qu'il manipulera Agnès comme bon lui semble et qu'elle ne lui avouera rien de grave. Or l'entretien le surprendra bien au-delà de ce qu'il imaginait.

ACTE III

SCÈNES 1 À 5

RÉSUMÉ

Arnolphe est content d'Agnès : elle a repoussé Horace venu une fois encore lui faire la cour (scène 1). Il veut maintenant lui expliquer le sens du mariage et la nature des rapports entre les hommes et les femmes. Dans un long sermon, il lui démontre la nécessaire dépendance des femmes à l'égard des hommes, l'honneur d'épouser un riche bourgeois comme lui, le danger diabolique que représentent les jeunes gens. Il lui fait aussi lire à haute voix *Les Maximes du mariage ou les devoirs de la femme mariée*. Devenue épouse, la femme n'existe plus que pour et à travers son mari ; elle ne peut rien faire sans lui (scène 2). À ce moment de la pièce, Arnolphe est tout heureux à l'idée d'avoir repris la situation en main et de pouvoir manipuler Agnès à sa guise comme « un morceau de cire » (scène 3). Mais Horace paraît, désireux de se confier à Arnolphe. Venu, comme à son habitude, faire la cour à

Agnès, il a été repoussé de la maison : les valets lui ont fermé la porte au nez. Horace pense que ce changement d'attitude est dû au retour du maître. La jeune fille va même jusqu'à jeter sur lui « un grès », autrement dit un caillou. Arnolphe se réjouit intérieurement tout en faisant semblant de compatir aux malheurs du jeune amoureux. Mais il déchante vite, car Horace lui révèle que la jeune fille a joint un message à la pierre qu'elle lui a lancée. Ce message est une lettre d'amour que lit le jeune homme. Arnolphe est au supplice. Il assiste impuissant aux élans amoureux d'Horace (scène 4). Resté seul en scène, Arnolphe laisse éclater sa douleur, celle de l'amour trahi et de la jalousie. Quant à Agnès, il découvre qu'elle n'est vraiment pas aussi naïve qu'il le pensait (scène 5).

REPÈRES POUR LA LECTURE

Mariage et antiféminisme

La scène 2 de l'acte III semble marquer le triomphe d'Arnolphe. Tandis qu'Agnès se présente à lui docile et soumise, un « ouvrage » à la main (v. 675), il lui expose sa conception du mariage et des relations entre l'homme et la femme. Cette conception, déjà rétrograde au XVIIe siècle, relève d'une mentalité patriarcale. Elle traduit en outre un antiféminisme virulent et excessif, à partir de l'idée que la femme, foncièrement inférieure à l'homme, doit se soumettre à lui (v. 699-700). Agnès doit se pénétrer « du profond respect où la femme doit être / Pour son mari, son chef, son seigneur et son maître » (v. 711-712).

Bien qu'elles reposent largement sur les mentalités de l'époque, *Les Maximes du mariage ou les devoirs de la femme mariée* ont un caractère outrancier, qui les rend ridicules. La femme y est réduite à un état de servitude insupportable et elles mettent le mari au centre de tout. Il s'agit moins d'établir une relation de respect que de faire sentir à chaque instant la supériorité de l'époux dans tous les domaines de l'existence. La femme est considérée comme un objet, une possession (v. 751).

Les femmes sont encore dans une position sociale inférieure au XVIIᵉ siècle, mais leur condition évolue, notamment sous l'impulsion de mouvements d'émancipation comme la préciosité. Les précieuses revendiquent pour les femmes un accès à la culture égal à celui des hommes et la liberté de ne pas être asservies dès la fin de l'adolescence par les contraintes du mariage et de la maternité. Plus que tout autre, Arnolphe redoute ce type de femmes (v. 784-787). Il ne supporte pas la « femme d'esprit » (v. 829).

Arnolphe, meneur de jeu ?

Arnolphe est le personnage le plus puissant de la pièce, mais il incarne une autorité dégénérée. Les beaux principes qu'il essaye de faire admettre, cachent en fait son goût du pouvoir et de la domination. Abusant de sa position de force vis-à-vis d'Agnès, il s'emploie à la transformer en esclave entièrement soumise à ses désirs et à ses volontés. Il se comporte en tyran monstrueux, en proie à ses obsessions. Arnolphe, en effet, vit dans la peur de ne pas être le maître absolu, dans l'angoisse de la dépossession. Cette peur est devenue tellement obsédante qu'il inflige à son entourage une pression énorme qui le soulage du poids de ses obsessions. C'est pourquoi il use et abuse du diable et des enfers pour terroriser la jeune fille (scènes 1 et 2).

Arnolphe se comporte en outre avec suffisance et prétention. Non content d'abuser de sa position d'homme et de père par défaut, il ne manque pas de souligner qu'il est un bourgeois aisé à qui Agnès doit tout. Arnolphe a besoin d'abaisser les autres pour avoir le sentiment de sa propre puissance (v. 680-684). Il est en proie au complexe de Pygmalion, personnage mythologique qui tombe amoureux de la belle jeune femme qu'il a sculptée et à qui la déesse Aphrodite finit par donner la vie. De la même manière, Arnolphe cède à l'ivresse de façonner une créature selon son goût et son désir : « Comme un morceau de cire entre mes mains elle est, / Et je lui puis donner la forme qui me plaît » (v. 810-811).

Les autres n'existent pas à ses yeux. Sa folie consiste à avoir sur le monde un point de vue univoque. Il n'a que des relations de pouvoir ou de manipulation avec les gens de son entourage. Il ne sait pas vraiment communiquer avec eux.

Amour et duperie

Comme le dit Horace, « l'amour est un grand maître » (v. 900). Celui qu'Agnès éprouve contribue grandement à développer son intelligence et sa finesse. En fait elle s'est jouée du jaloux. Entre les trois premières scènes où Arnolphe affirme sa puissance et le monologue de désespoir qui conclut l'acte (scène 5), s'intercale une *péripétie*, autrement dit un changement subit de situation. Horace révèle en effet qu'Agnès a joué la comédie de la rebuffade ; en fait elle a entouré la pierre qu'elle lui a lancée d'une lettre d'amour.

Dans la lettre pleine de fraîcheur et de grâce qu'elle a écrite, elle exprime sa confiance dans l'amour en dépit des discours culpabilisants qui s'efforcent de la persuader qu'elle fait le mal. La nature, l'instinct et le désir profond apparaissent plus forts que l'égoïsme forcené d'Arnolphe. La confrontation entre les deux rivaux tourne à l'avantage du jeune Horace parce qu'il va dans le sens de la nature. De même, à la laideur morale de son maître, Agnès oppose un « beau naturel » (v. 951). Le mensonge et la ruse, qui constituent en outre l'essence de la comédie, apparaissent ainsi comme des étapes nécessaires pour retrouver l'ordre de la nature.

Rire et triomphe de la jeunesse

L'amour chez les deux jeunes gens prend les allures d'un triomphe enfantin sur la peur. Agnès écrit en tremblant, mais elle surmonte sa peur pour déclarer « sans malice » son amour au jeune homme. Horace prend un air vainqueur pour faire le récit de la ruse d'Agnès. Le destin sourit aux amoureux. La victoire de l'amour prend la forme d'un bon tour joué au vieux jaloux. Le rire n'exprime pas seulement la sanction à l'égard du personnage ridicule, il dit aussi la joie des jeunes gens qui triomphent de celui qui entrave leurs désirs. « Riez-en donc un peu » (v. 926) s'exclame Horace. Plus loin il s'écrie : « Je ne puis y songer sans de bon cœur en rire » (v. 937). La vieille formule de la farce s'applique au détriment d'Arnolphe : « Tel est pris qui croyait prendre. »

La jeunesse et l'enthousiasme des jeunes gens donnent à la pièce le rythme d'une fête et d'un carnaval. Arnolphe fait figure de roi détrôné. Il apparaît dépossédé de sa superbe et de son autorité. La pièce opère un renversement de situation où le fort devient faible, où le maître devient esclave. Inversement, les enfants s'emparent du pouvoir et contraignent leur maître à l'humiliation et au rabaissement. Arnolphe, qui incarne une morale rétrograde et tyrannique, apparaît aussi figé et mécanique que *Les Maximes de mariage* dont il inflige la lecture à Agnès. C'est un homme fossilisé et asséché par les calculs et les prévisions à long terme. Agnès et Horace en revanche agissent avec souplesse et grâce, en s'adaptant prestement aux circonstances. Alors qu'Arnolphe semble bloqué et tétanisé, ils débordent d'invention et de ressources pour se tirer des difficultés.

ACTE IV

SCÈNES 1 À 9

RÉSUMÉ

Après avoir de nouveau ruminé sa colère et constaté à quel point il est amoureux d'Agnès (scène 1), Arnolphe fait venir le notaire pour élaborer le contrat de mariage, mais ne tarde pas à le renvoyer (scène 2). Craignant que ses valets laissent Horace s'introduire dans la maison où Agnès est séquestrée, il répète avec eux la scène d'éviction (scène 3). Une fois encore Arnolphe pense dominer la situation (scène 4). Mais voici Horace qui vient mettre un terme à sa joie! Ce dernier lui raconte comment Agnès l'a introduit dans sa chambre et l'a caché dans une armoire en entendant arriver son maître. Tout à son bonheur, Horace quitte Arnolphe pour préparer sa nouvelle rencontre avec la jeune femme, qu'il projette d'enlever (scène 6). Resté seul en scène, Arnolphe désespère (scène 7). Chrysalde survient et tente vainement de le raisonner (scène 8). Avec Alain et Georgette, Arnolphe prépare une embuscade : lorsque le jeune homme aura escaladé le balcon pour accéder à la chambre d'Agnès, les valets le recevront à coups de bâton (scène 9).

REPÈRES POUR LA LECTURE

Répétition et variation

L'acte IV obéit à un schéma dramatique qui répète celui des actes précédents. Pensant être maître de la situation, Arnolphe sombre dans le désespoir à la suite d'une nouvelle confidence d'Horace (scène 6), qui continue à le prendre pour un homme qui n'a pas de lien avec Agnès. Cette structure cyclique est source de comique. Arnolphe doit affronter les assauts du jeune homme qui s'efforce de s'introduire dans la maison où est séquestrée Agnès. D'abord en position de supériorité, Arnolphe doit ensuite reconnaître sa défaite.

La même structure dramatique se répète, mais avec une évolution et une gradation : l'union des jeunes gens se resserre tandis qu'Arnolphe perd de plus en plus la maîtrise de la situation. Agnès a réussi à faire pénétrer Horace dans sa chambre et, entendant arriver son maître, à le cacher « dans une grande armoire » (v. 1153). Audace incroyable, qui préfigure le retour du jeune homme la nuit suivante pour enlever la jeune fille.

Arnolphe et la passion amoureuse

L'étau se referme sur Arnolphe. Il aura pris toutes les précautions possibles pour ne pas être cocu, et voilà qu'il tombe dans la situation tant redoutée (scène 7). Cette situation farcesque le transforme en pantin dérisoire. Mais Arnolphe apparaît comme un personnage plus complexe. Son attitude n'est pas seulement guidée par la hantise du cocuage et la volonté farouche de garder le pouvoir. Les péripéties du début de la pièce lui ont fait comprendre qu'il était lui aussi véritablement amoureux d'Agnès. L'acte III s'achevait sur un aveu passionnel (scène 5). L'acte IV s'ouvre par une nouvelle affirmation de cet amour. La colère qu'il éprouve à l'égard de la traîtresse accroît son « amoureuse ardeur » (v. 1019).

Cette évolution psychologique donne à *L'École des femmes* une autre dimension. Nous ne sommes plus dans le monde uniquement physique de la farce, mais dans l'univers plus subtil de la comédie. Par son amour, Arnolphe finit par toucher le lecteur. Et il faudrait parfois peu de chose pour que la comédie bascule dans le tragique. Les mises en scène du XXe siècle ont d'ailleurs mis en évidence le caractère tragique du personnage d'Arnolphe, amoureux désespéré, qui sera impitoyablement éliminé.

De la farce à la « grande comédie »

Nous avons déjà remarqué que le personnage d'Arnolphe développe une complexité de caractère qui empêche de considérer *L'École des femmes* comme une simple farce. En effet, dans une farce tous les personnages sont statiques et quasiment immuables. Or Arnolphe n'est pas seulement un opposant aux amours d'Agnès et d'Horace, il connaît une évolution, notamment en découvrant qu'il est amoureusement attaché à sa pupille.

La farce implique un comique de geste qui puise dans la vie quotidienne. Dans l'acte IV, on voit ainsi Arnolphe demander au « savetier » du coin de sa rue de lui servir d'espion » (v. 1132-1133). Il fait aussi défiler tous les petits métiers de Paris, qui fournissent le personnel de la farce, quand il décide de couper encore plus la jeune fille du monde (v. 1136-1137). Les scènes avec Alain et Georgette ressortissent aussi au comique de la farce, notamment avec leurs réactions grossières, qui apparaissent surtout dans les didascalies (*Ils tendent tous deux la main et prennent l'argent*, scène 5). Il en va de même pour la colère d'Arnolphe, les péripéties de l'amant caché dans une armoire ou le projet d'enlever nuitamment la belle (scène 6).

Cependant, le comique de farce est atténué. La conversation entre Arnolphe et Chrysalde est impensable dans une farce, car elle se présente comme une argumentation raisonnée. Mais surtout, la plupart des événements sont racontés plutôt que représentés. Les péripéties les plus dramatiques et les plus drôles de la pièce se jouent hors scène. C'est Horace qui en fait le récit à Arnolphe. Or ces récits, pour comiques qu'ils soient, mettent aussi les gestes et les actions à distance, en atténuent le caractère physique et corporel. Molière, en auteur marqué par les idéaux du classicisme, donne de cette manière au spectateur un gage de bienséance. Il s'emploie à rechercher des formes de comique plus subtiles que le comique de geste ou celui que peuvent déclencher de grosses plaisanteries grivoises. Cette forme de comique qui naît de l'organisation de l'intrigue et de l'évolution des caractères fait de *L'École des femmes* une illustration de la « grande comédie » que les théoriciens de l'âge classique comme Nicolas Boileau appellent de leurs vœux.

Chrysalde et la morale du juste milieu

Chrysalde réapparaît à l'acte IV, dans une scène (scène 8), qui fait écho à la scène liminaire de la pièce. En ami, il essaie de raisonner Arnolphe et de l'aider à se libérer de son obsession du cocuage. C'est la raison pour laquelle il développe une argumentation qui vise à en relativiser les méfaits (v. 1228-1275). Par sa bonhomie et sa bienveillance, par son refus des « extrémités » (v. 1251), Chrysalde incarne le juste milieu ; il est ce qu'on appelle au XVIIe siècle un honnête homme, autrement dit un homme de bonne compagnie qui s'efforce de rendre faciles les relations sociales.

Sur le plan dramatique, il représente la norme par rapport à laquelle on peut mesurer le degré de folie du protagoniste. Ses propos mesurés, qui tiennent compte des faiblesses humaines, nous permettent d'appréhender le caractère excessif du comportement d'Arnolphe, qu'il décrit comme un homme « malade » (v. 1312). Chrysalde ne représente pas forcément les idées de Molière. En fait il a surtout une fonction dramatique. Il n'a pas d'existence en dehors du binôme comique qu'il forme avec Arnolphe, auquel il sert de repoussoir. Même avec cet ami, le barbon est en conflit.

ACTE V

SCÈNES 1 À 9

RÉSUMÉ

Le guet-apens a réussi : Horace est tombé de l'échelle, assommé par Alain et Georgette. Arnolphe leur reproche cependant d'avoir frappé trop fort sur le jeune homme (scène 1). Mais voilà qu'Horace rencontre Arnolphe et lui raconte ce qui s'est passé. Tombé en bas de l'échelle, il a fait le mort. Profitant de ce trouble, Agnès s'est enfuie. Elle retrouve Horace, qui décide de la mettre sous la garde d'Arnolphe, en attendant de pouvoir se marier avec elle (scène 2). Le visage caché par son manteau, le barbon récupère Agnès que lui confie Horace (scène 3). Une fois seul avec elle, il se découvre. Agnès lui explique qu'elle aime Horace. Arnolphe, jaloux et dépité, l'accable de reproches auxquels la jeune femme répond avec un aplomb qui le surprend. Agnès demeure insensible à ses manifestations amoureuses et ce dernier décide de la mettre dans un couvent (scène 4). En attendant, il demande à son valet Alain de la tenir enfermée dans sa chambre (scène 5). Horace arrive paniqué : son père, Oronte, rentre d'Amérique, il a décidé de le marier sans lui avoir demandé son avis (scène 6). Arnolphe pousse Oronte à marier son fils comme il l'a prévu. Horace découvre stupéfait que Monsieur de la Souche et Arnolphe ne sont qu'une seule et même personne (scène 7). Georgette vient avertir son maître qu'Agnès ne tient plus en place. Arnolphe la fait venir (scène 9). Coup de théâtre : c'est avec Agnès qu'Oronte a décidé de marier son fils ! Agnès est en effet la fille d'Enrique qui accompagne Oronte pour conclure le mariage. Arnolphe quitte la scène désespéré (scène 9).

REPÈRES POUR LA LECTURE

Un dénouement sous le signe du merveilleux

L'acte V consacre la défaite d'Arnolphe et le triomphe des jeunes amants après une série de rebondissements et de coups de théâtre. Selon un schéma comique bien rôdé dans les actes précédents, c'est à la faveur d'un quiproquo et d'un récit que nous apprenons ce qui s'est réellement passé. La chute comique d'Horace, assommé par les valets, et la fuite romanesque d'Agnès ne sont pas représentées, mais racontées. Ce qui intéresse Molière, c'est le désarroi d'Arnolphe. Son face à face avec la fugitive atteint un degré inouï de tension. Désespérant d'être aimée par elle, il décide d'user une dernière fois de son autorité de tuteur pour l'enfermer dans un couvent (v. 1611).

Les événements s'accélèrent sous l'impulsion des deux coups de théâtre auxquels est confronté Horace : son père rentre des Amériques pour le marier (scène 6) et il découvre que Monsieur de la Souche et Arnolphe ne sont qu'une seule et même personne (v. 1704).

Mais à cette logique presque tragique, la comédie oppose son optimisme et son dynamisme. Par un dernier coup de théâtre qui prend les allures d'un *deus ex machina*, d'une intervention quasi divine, Enrique s'avère être le père d'Agnès. Tout prend alors un tour de conte de fée, car le mariage prévu par Oronte et Enrique concerne précisément Agnès et Horace. Miraculeusement le désir des enfants coïncide avec la volonté des parents, au détriment d'Arnolphe (scène 9). Ce dénouement, qui peut apparaître artificiel, fait triompher magiquement l'amour.

L'acte des pères

L'acte V est l'acte des pères. Au XVIIᵉ siècle, les fils et les filles, surtout dans les familles bourgeoises et celles de l'aristocratie, sont soumis à la toute puissante autorité paternelle, notamment en ce qui concerne le mariage. Souvent, le père décide du futur conjoint de son fils ou de sa fille. C'est de cette prérogative dont jouissent Oronte et Enrique d'une part, et Arnolphe d'autre part, en tant que tuteur. Les deux pères décident du mariage de leurs enfants, sans les avoir consultés. Arnolphe, quant à lui, plaide pour un usage sans ménagement de cette autorité. Ignorant encore avec qui Oronte a décidé de marier son fils, Arnolphe lui demande « de faire valoir l'autorité de père » (v. 1681). Il résume la mentalité de la plupart des pères dans le théâtre de Molière : « Il faut avec rigueur ranger les jeunes gens » (v. 1682). Alors que Chrysalde plaide pour plus de souplesse et de prise en considération du désir des enfants, Arnolphe réagit avec virulence : fils et filles doivent « prendre loi » des pères, sans discuter (v. 1691).

Arnolphe incarne une figure paternelle ambiguë aux yeux d'Horace. Le jeune homme le considère comme un ami, avec le statut d'un père bienveillant, alors qu'il s'agit d'un rival. L'économie comique de la pièce procure au conflit œdipien traditionnel, qui oppose le père et le fils, une issue favorable : Oronte, en position de bon père, élimine Arnolphe, la figure du mauvais père, ou plutôt la part de conflit inévitable entre un fils et son père. Un ordre légitime se met en place, fondé sur une image idéale de la figure paternelle.

Le plaisir comique

Le dénouement de *L'École des femmes* procure ainsi au spectateur un sentiment de joie et de satisfaction. La bonne humeur qu'il suscite redonne de la confiance et de l'énergie.

Ce plaisir comique repose sur l'élimination d'Arnolphe, qui subit impitoyablement la sanction du rire. Il est banni, exclu, expulsé par les autres personnages. Il est d'abord exclu de la parole. Ses deux derniers mots sont des interjections : « Quoi ? » (v. 1740) et « Oh ! » (v. 1764). Puis il sort précipitamment, subissant une sorte de mort symbolique. Il s'en va « *tout transporté, et ne pouvant parler* ». Arnolphe est débouté de la double position qu'il prétendait occuper, celle de tuteur/père et celle d'amant. Dans ces deux fonctions, il est définitivement remplacé par Enrique et par Horace.

Le soulagement final découle du sacrifice d'Arnolphe. Son éviction rend possible et agréable la reconnaissance finale du père et de la fille ainsi que le triomphe de l'amour naturel et réciproque des deux jeunes gens. Le mariage sur lequel culmine la pièce figure un retour à l'ordre et à l'harmonie. Le spectateur est heureux parce que l'ordre du désir coïncide avec l'ordre de la loi, l'amour des enfants avec la volonté des parents.

Nous ne pouvons cependant manquer d'éprouver pour Arnolphe un peu de pitié. Réellement amoureux d'Agnès, il perd tout en devenant le bouc émissaire de tous les autres personnages. Molière fait entendre aussi, dans sa défaite, la douleur indicible de la perte, de l'abandon et du désamour. C'est ce frisson du tragique qui rend le comique de *L'École des femmes* si profond et si touchant.

DEUXIÈME PARTIE

Problématiques essentielles

1 | *L'École des femmes* dans l'œuvre de Molière

MOLIÈRE AVANT *L'ÉCOLE DES FEMMES*

Molière naît à Paris en 1622. Il s'appelle en réalité Jean-Baptiste Poquelin. Son père, artisan tapissier, connaît une réussite professionnelle que vient couronner l'achat d'un office[1] de tapissier et valet de chambre ordinaire du roi, qui, plus tard, reviendra à son fils. En attendant, Jean-Baptiste fait ses humanités au collège de Clermont tenu par les jésuites, puis il suit des études de droit.

Mais il décide de rompre avec sa famille et son avenir d'artisan tapissier ou de magistrat. Il veut être comédien. Il fonde en 1643 une compagnie, l'Illustre Théâtre, et choisit, en 1644, Molière comme nom de scène. Il mène dès lors avec l'actrice Madeleine Béjart une vie de comédien itinérant à travers les grandes villes de province. Monté à Paris en 1658, il obtient la protection du duc d'Orléans, le frère unique du roi, qui installe sa troupe au théâtre du Petit-Bourbon. Louis XIV le remarque alors qu'il joue devant la cour, au palais du Louvre, une farce intitulée *Le Docteur amoureux*. Le roi est tellement ravi et réjoui par cette pièce qu'il prend l'auteur sous sa protection.

Bien que sa troupe interprète de nombreuses tragédies, notamment de Corneille, Molière réussit principalement dans le comique. Il maîtrise à la perfection l'art de la farce, fondé principalement sur l'improvisation à partir de canevas traditionnels et sur le désir de déclencher le rire à tout prix. Pendant ses péregri-

---

1. *Office* : au XVIIᵉ siècle, une charge que l'on achète.

nations à travers la France, il se met à écrire. D'abord des farces, comme *La Jalousie du Barbouillé* (1646) ou *Le Médecin volant* (1647), puis des œuvres plus ambitieuses, écrites en vers, comme *L'Étourdi* (1655) et *Le Dépit amoureux* (1656). *Les Précieuses ridicules*, pièce représentée en 1659, remporte un triomphe et consacre Molière comme grand auteur comique. Mais commence en même temps une série de critiques et de cabales, émanant d'auteurs jaloux et d'acteurs rivaux, qui ne désarmeront jamais.

Le succès de Molière se confirme en 1660 avec *Sganarelle ou le cocu imaginaire*, pièce qui plaît beaucoup au roi. Mais bientôt sa troupe se retrouve sans lieu de représentation. On démolit le Petit-Bourbon pour agrandir le Louvre. C'est alors que Louis XIV accorde à Molière le théâtre du Palais-Royal, où il demeurera jusqu'à la fin de sa vie et pour lequel il écrira ses plus beaux chefs-d'œuvre. Dans ce théâtre, construit naguère par Richelieu, Molière conçoit de grandes ambitions. Il rêve de s'imposer comme auteur tragique, à l'exemple de Corneille. C'est pourquoi il inaugure son nouveau théâtre, en 1661, en donnant une tragi-comédie, *Dom Garcie de Navarre ou le Prince jaloux*. L'échec est cinglant et, en dépit de ses efforts répétés, Molière ne sera jamais un dramaturge tragique. Pour pallier les pertes financières de la troupe, il se hâte de mettre la dernière main à *L'École des maris* (1661), où il trouve sa vraie manière, le genre comique, mais avec de hautes exigences esthétiques. Le spectacle remporte un nouveau triomphe. Le public était heureux de renouer avec le brio étourdissant et désopilant de Sganarelle, interprété par Molière. Une catégorie supplémentaire d'ennemis se joint cependant aux acteurs et aux auteurs jaloux, celle des dévots, des chrétiens sourcilleux, qui n'acceptent pas la morale permissive véhiculée selon eux par *L'École des maris*, notamment à l'égard des jeunes filles.

Fouquet, le puissant surintendant, qui sera bientôt arrêté et emprisonné à vie, commande à Molière une pièce afin de rendre encore plus éclatante la fête qu'il prépare pour le jeune roi Louis XIV, dans son château de Vaux-le-Vicomte. En quelques jours Molière réalise un exploit : il écrit, apprend et monte la comédie-ballet des *Fâcheux*, qui est représentée avec un éclat incomparable et un grand succès, le 17 août 1661. Après la disgrâce de Fouquet, Molière entre définitivement au service du roi, prenant en charge les divertissements de Sa Majesté.

Le 20 février 1662, il épouse Armande Béjart, de vingt ans sa cadette. Était-elle la sœur ou la fille de son amie Madeleine ? On ne le sait toujours pas avec certitude. Ce mariage fit beaucoup jaser. Les détracteurs de Molière s'en donnèrent à cœur joie. On y vit l'origine de la nouvelle pièce qu'il donne le 26 décembre 1662, au Palais Royal, *L'École des femmes*. Le succès est énorme. Molière crée avec cette pièce la grande comédie classique. Les chefs-d'œuvre dès lors se succèdent : *Tartuffe* (1664), *Dom Juan* (1665), *Le Misanthrope* (1666), *Le Bourgeois gentilhomme* (1670), *Les Femmes savantes* (1673), et enfin *Le Malade imaginaire* (1673), l'année de la mort de l'auteur.

LA QUERELLE DE *L'ÉCOLE DES FEMMES*

Le succès de *L'École des femmes* entraîne une bataille littéraire sur le modèle de la Querelle du Cid. Les enjeux de cette Querelle, qui s'étend de 1662 à 1664, sont multiples. Elle donne lieu à la publication de pamphlets et de pièces satiriques dues principalement à Donneau de Visé. Les adversaires de Molière sont nombreux : acteurs et auteurs jaloux, moralistes dévots, théoriciens puristes de la littérature, mais aussi petits marquis ou précieuses ridicules. Même Corneille se montre envieux de la renommée de Molière ! Tous s'emploient à transformer un succès en scandale. Les comédiens de l'Hôtel de Bourgogne ne supportent pas la faveur grandissante de la troupe de Molière. Ils s'inquiètent en particulier de voir la nouvelle comédie faire de plus en plus concurrence à la tragédie. *L'École des femmes*, avec son contenu éminemment bouffon, est en effet une pièce écrite dans la forme la plus noble qui soit : cinq actes en alexandrins. Molière inventait en langue française une forme dramatique nouvelle. Devant l'avalanche des attaques dont il fait l'objet, il riposte par le théâtre, grâce à deux courtes pièces apologétiques, *La Critique de l'École des femmes* et *L'Impromptu de Versailles*, toutes deux représentées en 1663.

Les arguments religieux

Les critiques prennent d'abord un caractère religieux. Le parti dévot, qui rassemble les chrétiens rigoristes, commence à faire de Molière l'ennemi à abattre. Ce sont les dévots qui empêcheront la représentation de *Tartuffe* et l'interdiction définitive de *Dom Juan*. Et de fait Molière s'en prend, à travers les propos d'Arnolphe, à l'utilisation hypocrite de la religion à des fins personnelles et privées, à ce qu'on appelle alors la fausse dévotion. C'est pourquoi les dévots dénoncent le caractère impie et libertin de la pièce. Les *Maximes du mariage* leur paraissent ainsi une parodie insupportable des dix commandements de l'Église. On reproche aussi à l'auteur de se moquer de « l'enfer », caricaturé par l'image des « chaudières bouillantes ». Pour les dévots, la forme sacrée du sermon chrétien ne peut faire l'objet d'une utilisation satirique, comme le fait continuellement Arnolphe lorsqu'il s'adresse à sa pupille. Molière est accusé de remettre en question les grands « mystères » de la religion chrétienne.

Les arguments moraux

La pièce est aussi attaquée par des moralistes qui s'offusquent de ses allusions obscènes. L'équivoque sur l'article « le », en suspend dans une réplique d'Agnès (II, 5, v. 572), suscite un tollé chez les adeptes de la bienséance et du bon goût. « Ordures », « saletés », « obscénité », tels sont les termes outranciers utilisés par Célimène, la précieuse pudibonde et « façonnière », que met en scène *La Critique de l'École des femmes* (scène 3). D'autres s'indignent devant le réalisme farcesque de la « tarte à la crème » (v. 99), des enfants que l'on fait « par l'oreille » (v. 164) ou de la « femme », présentée comme « le potage de l'homme » (v. 437).

Certains veulent même voir dans cette pièce une satire antiféministe. Ces accusations totalement infondées démontrent l'importance grandissante du point de vue féminin dans les questions morales et esthétiques, en dépit d'une situation sociale et juridique qui leur est encore très défavorable.

Les arguments esthétiques

L'École des femmes fait aussi l'objet de violentes attaques sur le plan esthétique et littéraire. On lui reproche de plagier une nouvelle espagnole de María de Zayas y Sotomayor, traduite en français en 1661 par Paul Scarron sous le titre *La Précaution inutile*, mais aussi l'un des contes de l'écrivain italien Straparole, extrait de ses *Facétieuses Nuits*. À l'Espagnol, Molière emprunte le thème de l'homme qui voit se retourner contre lui les précautions qu'il prend pour se prémunir du cocuage, à l'Italien le thème de l'amoureux étourdi qui prend son rival pour confident.

De plus, la pièce, aux yeux des critiques, manque d'action : « elle se passe toute en récits », comme l'écrit Donneau de Visé[1] dans *Zélinde* (scène 3). Par ailleurs, son dénouement semble complètement artificiel. Et si l'on veut bien admettre que la pièce comporte une intrigue, les doctes, défenseurs des règles censées régir l'art théâtral au XVIIe siècle, s'en prennent à sa vraisemblance. Le même Donneau de Visé accumule les critiques : la scène de quiproquo avec le notaire est invraisemblable ; une jeune fille comme Agnès ne saurait « soulever » un « grès », autrement dit un lourd « pavé » ; un amoureux ne saurait aller et venir en si peu de temps auprès de sa bien aimée en suscitant à chaque fois des « incidents nouveaux » (*Zélinde*, scène 3).

Molière, en présentant une pièce en cinq actes en vers alexandrins, sur le modèle tragique, ne respecte pas le principe de la « distinction des genres » ; il les mélange impertinemment.

---

1. Donneau de Visé (1638-1710), Robinet (1608-1698) et Boursault (1638-1694) sont trois des protagonistes de la Querelle de *l'École des femmes*.

Robinet[1] s'indigne qu'Arnolphe propose à Agnès de se tuer, comportement qui n'est possible selon lui que dans une tragédie (*Le Panégyrique de L'École des femmes*, scène 5). Boursault[1] va même jusqu'à suggérer que la réplique d'Agnès : « Le petit chat est mort », « ensanglante la scène » comme dans une tragédie (*Le Portrait du peintre*, scène 8).

Les arguments personnels

Restent les attaques personnelles qui s'en prennent à la vie privée de Molière, notamment à son mariage avec la jeune Armande Béjart. On met en relation le sujet de *L'École des femmes*, un barbon qui veut épouser une jeune fille, avec la vie privée du dramaturge. Molière aurait traité, avec le cocuage, un sujet qu'il connaît bien. Donneau de Visé donne dans ce genre de calomnie : « Si vous voulez savoir pourquoi, presque dans toutes ses pièces, il raille tant les cocus et dépeint si naturellement les jaloux, c'est qu'il est du nombre de ces derniers » (*Nouvelles nouvelles*).

LA RIPOSTE DE MOLIÈRE

L'importance de la Querelle de *L'École des femmes* démontre le caractère novateur de la pièce de Molière. S'il a de nombreux ennemis, il compte aussi beaucoup de partisans parmi lesquels figurent le poète Boileau et surtout le roi, qui ne cessera de lui apporter son soutien. Il se défend contre les cabaleurs par le biais de deux œuvres qui théâtralisent les débats en figurant les points de vue antagonistes : *La Critique de l'École des femmes* et *L'Impromptu de Versailles*. Dans ces courtes pièces, écrites dans le feu de la Querelle, Molière démontre le caractère injustifié des critiques qui lui sont adressées tout en exposant de manière non dogmatique les grands principes de sa dramaturgie. Il a l'habileté de dédier *La Critique de l'École des femmes* à la reine mère Anne d'Autriche, protectrice du parti dévot, mais aussi passionnée de théâtre.

---

1. Voir note 1 ci-contre.

Ces textes apologétiques mettent en valeur quelques-uns des grands principes qui président à l'esthétique de Molière. Il est ainsi plus difficile à ses yeux d'écrire une comédie qu'une tragédie. La tragédie travaille sur des héros légendaires, tandis que la comédie dépeint les gens du siècle avec la plus grande ressemblance possible. Faire rire des spectateurs apparaît en outre une opération autrement plus périlleuse que de les faire pleurer : « C'est une étrange entreprise que celle de faire rire les honnêtes gens [1]. »

Les détracteurs de Molière n'ont cessé par ailleurs de lui reprocher de s'être moqué des règles dramatiques telles qu'elles ont été édictées par Aristote et par Horace. Contre ces accusations, l'auteur comique réagit vivement. La seule règle qui compte à ses yeux est celle du « plaisir » que l'on donne et du résultat que l'on obtient : « Je voudrais bien savoir si la grande règle n'est pas de plaire, et si une pièce de théâtre qui a attrapé son but n'a pas suivi un bon chemin. » Il importe aussi de se laisser emporter par ses émotions et par son instinct (*La Critique*, scène 6).

Malgré de nombreux opposants, le succès de la pièce est considérable. Molière sait qu'il peut compter sur le soutien essentiel de la « cour », et du roi, profitant de la marge de manœuvre et de liberté dont il lui permet de disposer. Or Louis XIV ne fait pas peser sur l'artiste une grande censure. On ose s'en prendre à la vie privée de Molière et à son mariage avec Armande, le roi passe outre et devient même le parrain de leur premier enfant !

Le débat suscité par *L'École des femmes* montre à quel point la pièce innove et bouscule les idées reçues. Elle apparaît comme un tournant dans la carrière du dramaturge. C'est pourquoi, après *La Critique de l'École des femmes* et *L'Impromptu de Versailles*, il décide d'en finir avec la polémique ; il annonce qu'il ne répondra plus à ses détracteurs. Il se consacre désormais à sa création et au service du roi. Mais les ennuis ne tarderont pas à recommencer avec la représentation de *Tartuffe* en mai 1664.

---

1. *La Critique de l'École des femmes*, scène 6.

2 | La dramaturgie de *L'École des femmes*

Malgré les critiques dont elle a fait l'objet, notamment à cause de son dénouement quelque peu artificiel et postiche, *L'École des femmes* se révèle d'une extraordinaire efficacité dramatique. À partir de schémas comiques, empruntés à la farce, Molière bâtit un mécanisme théâtral fondé sur la répétition des mêmes situations, mais avec des variations liées à l'évolution psychologique des personnages et aux coups de théâtre. Au déroulement implacable de l'intrigue, se superpose une action plus intérieure qui voit chacun des personnages principaux subir une évolution. Cette dimension initiatique de l'action, ainsi que les réflexions morales qui l'accompagnent et qu'elle suscite, éloignent *L'École des femmes* du genre de la farce pour le rattacher à la « grande comédie » de mœurs.

UN SCHÉMA DRAMATIQUE DE FARCE

Par son sujet et son rythme, *L'École des femmes* s'apparente à une farce. Cette forme théâtrale en vogue au Moyen Âge, mais qui n'a jamais disparu des foires de Paris aux XVIe et XVIIe siècles, met en scène une intrigue rudimentaire, en général fondée sur une tromperie, sur la représentation d'une ruse. De nombreux canevas comiques de la farce se retrouvent dans la *commedia dell'arte*, genre théâtral italien qui connaît un grand succès au temps de Molière. Dans ce type de théâtre, les jeux de scène prédominent ; les corps et les équivoques sexuelles y jouent un rôle important. Les caractères, réduits à leur plus simple expression, apparaissent comme des fonctions, des types, aisément reconnaissables :

le barbon, le fils, la fille, le docteur, le galant, le valet déluré, le juge, le prétendant… Par ses motifs et sa mécanique dramatique, *L'École des femmes* doit beaucoup à la vieille farce française, redynamisée par les acteurs italiens de son temps.

La maîtrise du déroulement de l'action

Comme *L'École des maris*, dont elle est une variation, *L'École des femmes* repose sur un schéma farcesque efficace. Avec simplicité, la même situation dramatique se répète d'un acte à l'autre. Il s'agit, à partir d'un scénario éprouvé, de provoquer le plus de rire possible.

Chaque acte réitère le même schéma dramatique en trois temps : une phase statique de satisfaction d'Arnolphe où il pense maîtriser la situation, une phase dynamique de perturbation de ses plans par les confessions amoureuses d'Horace ou d'Agnès, une phase statique de prostration d'Arnolphe, abattu par les révélations des jeunes gens. Ce « moteur à trois temps » – satisfaction, révélation, consternation –, a bien été mis en évidence par les critiques comme Bernadette Rey-Flaud [1].

Ainsi, à l'acte I, Arnolphe se rengorge en exposant à Chrysalde le moyen qu'il a trouvé pour échapper au cocuage (phase de satisfaction) ; mais survient Horace, qui raconte sa bonne fortune avec Agnès (phase de révélation) ; il s'abandonne dès lors au désespoir (phase de consternation). Même schéma à l'acte II, mais cette fois, c'est Agnès qui provoque le chamboulement de la révélation. À l'acte III, Arnolphe croit triompher puisqu'Horace a été accueilli à coups de pierre, mais ce dernier lui révèle la ruse de la jeune fille qui a entouré la pierre d'un message ; et un nouveau désespoir le saisit. Au début de l'acte IV, la maison où est enfermée Agnès semble bien barricadée, mais Horace a été dissimulé dans une armoire de sa chambre. Arnolphe, décontenancé, cède de nouveau au désespoir. L'acte V reprend le même schéma en

---

1. *Molière et la farce*, Genève, Droz, 1996, p. 94.

l'intensifiant. Arnolphe pense qu'il va pouvoir enfin triompher quand Horace vient lui confier Agnès qu'il a enlevée ; mais une série de révélations vont achever sa défaite : la jeune fille lui avoue qu'elle ne l'aime pas, elle retrouve son père véritable et Oronte et Enrique ont décidé de marier leurs enfants, Horace et Agnès. Définitivement vaincu, Arnolphe est expulsé de la scène. Les moments de satisfaction, au début de chaque acte, prennent la forme d'un monologue ou d'un dialogue avec l'entourage familier, les moments de révélation la forme d'un quiproquo avec Horace ou Agnès, ceux de consternation, la forme d'un monologue d'Arnolphe.

La maîtrise de l'espace scénique

Dans la farce, les enjeux dramatiques sont concrets. Il s'agit notamment de s'assurer la domination de l'espace. Qui est vraiment le maître des lieux ? De ce point de vue, on peut se demander si Horace pourra s'introduire dans la maison d'Arnolphe pour conquérir Agnès, et s'il pourra déloger le propriétaire pour prendre sa place. Les deux valets, Alain et Georgette, sont d'ailleurs préposés à la garde exclusive de la maison. La « jalousie », explique Alain à Georgette, « est une chose […] qui chasse les gens d'autour d'une maison » (II, 4, v. 428-429). Arnolphe associe Agnès et la garde jalouse de sa maison : « Dans la maison toujours je prétends la tenir, / Y faire bonne garde… » (IV, 5, v. 1134-1135). Le problème, en revanche, pour Horace est d'y pénétrer. Notons à cet égard que la pièce se déroule dehors, devant la maison où Agnès est enfermée. La scénographie pose l'intérieur de la maison comme le lieu de la convoitise, un lieu de mystère qui suscite le désir. Lorsque tous les personnages entrent dans la maison, la pièce est finie.

L'occupation de la scène marque également les différentes phases du conflit et mesure la puissance respective des personnages. Omniprésent dans l'ensemble de la pièce, Arnolphe doit honteusement quitter la scène à l'acte V. Le perdant est éliminé impitoyablement, il doit quitter les lieux, que remplissent joyeusement ceux qui l'ont emporté.

La bataille pour la maîtrise des lieux réactive un motif comique traditionnel, celui du *parasite*. Le parasite est un individu importun qui s'immisce dans une demeure et s'y incruste. Il perturbe l'ordre social et la distribution habituelle des pouvoirs. Horace vient ainsi *parasiter* la maison d'Arnolphe pour finalement lui ôter le pouvoir.

La maîtrise du temps théâtral

La question du temps n'est pas moins importante que celle de l'espace. En fait, temps et espace au théâtre obéissent à la même nécessité. Le maître de l'espace apparaît aussi comme le maître du temps. Arnolphe domine les deux au début de la pièce. Il annonce ainsi qu'il va épouser Agnès le « lendemain » (I, 1, v. 2). Mais Arnolphe trouve sur son chemin un individu qui s'interpose et retarde la réalisation de sa volonté et de son désir. Son temps est alors dévoré par le nouveau venu dont les actions portent atteinte à sa puissance. Horace devient, comme on disait au XVIIe siècle, un fâcheux, un homme qui suspend le temps et oblige à la digression. Ce thème faisait beaucoup rire à Versailles. Molière le traite abondamment dans la comédie-ballet qui précède *L'École des femmes* et qui s'intitule *Les Fâcheux* (1661). L'intrigue de cette comédie s'apparente à celle de *L'École des femmes* : Éraste a rendez-vous avec Orphise, la femme qu'il aime, mais à chaque fois qu'il est sur le point d'entrer en relation avec elle, il en est empêché par toutes sortes d'importuns. De même, à chaque fois qu'Arnolphe pense qu'il va disposer à sa guise d'Agnès, Horace vient s'interposer entre lui et elle.

DES PERSONNAGES
ET DES SITUATIONS TYPES

Cocuage et trio comique

Le motif du mari cocu, récurrent dans la farce, a l'avantage de se révéler particulièrement théâtral. Il confronte trois personnages – le mari, la femme et l'amant –, en suscitant toutes sortes de situations qui font appel au quiproquo, à l'équivoque, au retournement de situation, à la reconnaissance. Source inépuisable du rire, ce scénario à trois oppose d'un côté le mari qui garde jalousement sa femme, et de l'autre l'amant qui s'efforce de la conquérir, non sans la complicité de cette dernière. Le plus souvent, il s'agit, sur le mode de la transgression carnavalesque, de jouer un bon tour au mari, bourgeois satisfait et tyrannique avec son entourage.

Dans *L'École des femmes*, le cocuage est annoncé d'emblée comme un thème central (I, 1). Arnolphe fait à Chrysalde la satire des maris cocus. Ce thème est d'autant plus familier aux spectateurs de Molière qu'il apparaît fréquemment dans ses œuvres précédentes, notamment *La Jalousie du Barbouillé*, *Sganarelle ou le cocu imaginaire*, *L'École des maris*. On le retrouvera encore quelques années plus tard dans *George Dandin*.

L'École des femmes ne reproduit pas exactement à première vue le canevas de la farce tel qu'on le trouve de manière traditionnelle dans *La Jalousie du Barbouillé*, où Angélique rejoint son amant Valère avant de jouer un bon tour à son mari. Le trio habituel dans ce genre d'intrigue est pourtant bien là. Et si Arnolphe à proprement parler n'est pas le mari d'Agnès, il s'apprête à subir tous les malheurs traditionnellement vécus par un mari jaloux. Agnès et Horace s'emploient activement à tromper sa vigilance. Tandis que les amants nouent des liens de plus en plus intimes, Arnolphe s'installe dans la position burlesque du mari trompé. Dans la farce, le moteur de l'intrigue est moins le conflit entre le mari et l'amant que le désir qui pousse la femme et l'amant à se rejoindre et à jouer un bon tour au mari. Or, tel est bien l'un des ressorts dramatiques de la pièce : le spectateur sympathise avec le désir légitime des jeunes gens tout en applaudissant à la défaite du barbon.

Le motif de la précaution inutile

Un second schéma dramatique se superpose à celui du trio et du cocuage : celui de la *précaution inutile*, qui réactive le schéma farcesque de l'inversion des valeurs du *tel est pris qui croyait prendre*, du *trompeur trompé* ou de *l'arroseur arrosé*. Un personnage prend mille précautions qui ne l'empêchent pas d'être confronté au danger qu'il a tout fait pour éviter. Ce motif burlesque est très en vogue au temps de Molière. Paul Scarron, en 1661, dans une nouvelle intitulée *La Précaution inutile*, traduite de l'espagnol, raconte les aventures de don Pedre qui n'empêchera pas la jeune Laure, qu'il a fait élever dans la sottise et l'ignorance à l'intérieur d'un couvent, de céder aux avances d'un jeune galant. Juste avant Molière, l'acteur Montfleury donne une adaptation théâtrale de la nouvelle de Scarron : *L'École des cocus ou La Précaution inutile*. Molière lui-même, avant d'écrire *L'École des femmes*, a déjà expérimenté ce schéma dramatique dans *L'École des maris* : Sganarelle, de peur d'être trompé, retient Isabelle enfermée au logis, car il compte se marier avec elle, mais il ne l'empêchera pas de rencontrer le jeune Valère et de se marier avec lui. Beaumarchais réutilisera ce motif dans *Le Barbier de Séville ou la Précaution inutile* (1775).

L'École des femmes développe aussi une *précaution inutile*. Arnolphe, au premier acte, se moque avec arrogance des cocus ; il a pris toutes les dispositions possibles pour élever une jeune fille dont il pense qu'elle sera une épouse parfaite ; il devient même le confident de son rival, ce qui lui donne en théorie la maîtrise de la situation. Mais le déroulement de la pièce déjoue un à un tous ses plans : la jeune fille qu'il a préparée pour son mariage lui échappe ; le « blondin », qu'il croit manipuler, voit toutes ses entreprises couronnées de succès. La « machine à rire [1] » de la farce affectionne ces *renversements de situation*, où force et faiblesse s'inversent symétriquement.

Le motif de l'amant étourdi

Un troisième motif dramatique sert de moteur à l'intrigue, celui de l'amant étourdi et naïf qui choisit pour confident son rival. Horace, le « blondin » évaporé, fait d'Arnolphe, la personne dont il devrait le plus se méfier, le témoin de ses exploits et de ses projets. La situation est d'autant plus cocasse qu'elle se greffe sur une histoire d'amour et de cocuage. Molière emprunte ce motif à un conte extrait des *Nuits facétieuses* de l'écrivain italien Straparole (1480-1557) : on y lit les aventures d'un étudiant qui fait du mari trompé le confident de ses amours tumultueuses avec sa femme ; à chaque fois que le mari cherche à le confondre, l'étudiant réussit à s'en sortir ; finalement il s'enfuit avec l'épouse.

DE LA FARCE À LA « GRANDE COMÉDIE »

De *La Jalousie du Barbouillé* à *L'École des femmes*

Si *L'École des femmes* n'avait été qu'une farce en un acte comme *La Jalousie du Barbouillé* (1646) ou *Le Médecin volant* (1647), elle n'aurait pas suscité autant de scandale. Comme en témoigne Molière lui-même dans *La Critique de l'École des femmes* et *L'Impromptu de Versailles*, cette pièce, au même titre que *Le Cid* ou plus tard *Hernani*, constitue un tournant esthétique, sinon une rupture. À partir de matériaux existants, Molière invente une forme nouvelle. Il ne s'agit plus seulement d'une farce, mais déjà d'une comédie au sens classique, autrement dit une pièce qui ne se contente pas de faire rire grossièrement, mais qui se présente aussi comme une réflexion sur la nature humaine et sur les mœurs de ses contemporains.

---

1. Voir Bernadette Rey-Flaud, *La Farce ou la machine à rire*, Genève, Droz, 1984.

La farce, pièce courte, consiste principalement en jeux de scène et en démonstrations spectaculaires : les gestes y comptent autant que les paroles. En donnant cinq actes à *L'École des femmes*, sur le modèle des tragédies et des grandes comédies de Corneille, Molière affiche son projet de complexifier les données élémentaires de la farce. Les scènes d'action, en outre, n'y sont pas représentées mais racontées. On a d'ailleurs fait reproche à l'auteur de cette particularité. La présence physique des corps est mise à distance par les récits, ce qui focalise l'attention des spectateurs non pas sur les actions mais sur les réactions des personnages, notamment celles d'Arnolphe. Molière, en privilégiant la parole sur l'action, satisfait par ailleurs au critère classique de la bienséance : pour les théoriciens du temps de Louis XIV, il faut bannir, au nom des bonnes mœurs, toute représentation physique ou trop suggestive. Or les discours atténuent ce que peut avoir de trop direct la représentation d'une scène de colère ou d'enlèvement (IV, 6 ; V, 1).

Du stéréotype au personnage complexe

Dans une farce, les personnages ne sont que des fonctions, des stéréotypes, qui ne connaissent pas d'évolution. L'accent est mis sur le bon tour que l'on joue au mari. Une machination se met en route qui se déroule implacablement. Dans *L'École des femmes*, les trois protagonistes apparaissent comme des personnages stéréotypés – le barbon, l'ingénue et le galant –, mais ils subissent, à mesure que progresse la pièce, des mutations psychologiques qui les métamorphosent : tous trois découvrent la gravité du sentiment amoureux et changent d'état d'esprit. L'action devient donc plus psychologique que dramatique au sens strict. Sganarelle, dans *L'École des maris*, n'était qu'un pantin, broyé pour le plus grand bonheur des spectateurs par la mécanique de la farce. Arnolphe, en revanche, participe à une action beaucoup complexe. De même, Agnès et Horace sont dotés d'une plus grande profondeur qu'Isabelle et Valère.

À cet égard, le récit ou le monologue sont des moments de parole qui permettent davantage la prise de conscience, voire l'analyse. Le vrai sujet de la pièce n'est plus dès lors la représentation des péripéties comiques, mais le processus qui paralyse peu à peu Arnolphe tandis que la jeune fille s'éveille pleinement à la conscience d'elle-même par l'amour et qu'Horace réussit dans toutes ses entreprises bien qu'il s'y prenne fort mal. Uranie, dans *La Critique de l'École des femmes*, remarque avec justesse : « La beauté du sujet de *L'École des femmes* consiste dans cette confidence perpétuelle; et ce qui me paraît assez plaisant, c'est qu'un homme qui a de l'esprit, et qui est averti de tout par une innocente qui est sa maîtresse, et par un étourdi qui est son rival, ne puisse avec cela éviter ce qui lui arrive » (scène 6). Cette remarque introduit l'idée d'un « destin » qui se montre plus puissant que les calculs des personnages; Arnolphe incrimine le « bourreau de destin » (v. 1206), « le sort » (v. 1358), ou cet « astre qui s'obstine à [le] désespérer » (v. 1182). L'observation d'Uranie attire aussi l'attention sur le comportement des personnages : l'entêtement d'Arnolphe, la surprise de l'amour, l'étourderie gracieuse chez Horace. Le dramaturge nous confronte à des « mystères » (v. 1777), comme le mystère de l'amour, il nous émeut par la représentation de sentiments et d'émotions qui nous touchent au plus profond de nous-mêmes. De personnages stéréotypés, Arnolphe, Agnès et Horace accèdent au rang de personnages complexes avec une épaisseur psychologique et un caractère en évolution. Les marionnettes de la farce sont devenues des héros de comédie.

Le dénouement quelque peu factice de la pièce, tellement critiqué par les détracteurs de Molière, apporte paradoxalement la preuve que ce n'est pas la mise en scène du mécanisme d'horlogerie farcesque qui intéresse Molière, mais le destin de ses héros. La pièce perd en brio au niveau de l'intrigue ce qu'elle gagne en force dramatique et émotive au niveau des protagonistes.

LES MISES EN SCÈNE
DE *L'ÉCOLE DES FEMMES*

La multiplicité des mises en scène de *L'École des femmes* témoigne de sa richesse dramaturgique. Ces mises en scène varient principalement selon que l'on rend Arnolphe comique ou tragique, et que l'on fait d'Agnès une vraie ou une fausse ingénue.

Molière, premier metteur en scène de la pièce et créateur du rôle d'Arnolphe, tirait la pièce du côté du comique, à une époque où le thème du cocuage était ressenti comme une source inépuisable de rire.

À l'époque romantique en revanche, à l'instar de Victor Hugo, on a commencé à mettre en évidence l'amour déçu et le désespoir d'Arnolphe, en même temps qu'Agnès devenait une jeune femme franchement délurée.

Le XXe siècle se caractérise par la très grande diversité des interprétations. Un équilibre s'instaure entre le comique et le tragique, au profit de la poésie et de la pure théâtralité, comme en témoignent les grandes mises en scène de la pièce par Louis Jouvet (1936 et 1940) ou Antoine Vitez (1978). Chez Vitez par exemple, Arnolphe est représenté par un homme jeune, contrairement à la tradition qui fait de lui un barbon. La jeunesse d'Arnolphe renforce la sympathie qu'on peut éprouver pour le drame qu'il vit.

3 | La question du mariage et des pères

Comme dans la plupart des pièces de Molière, l'enjeu de *L'École des femmes* réside dans le mariage. Arnolphe ouvre l'acte premier en annonçant son mariage imminent avec sa pupille; l'acte V se conclut par le mariage d'Agnès et d'Horace. Alors que la tragédie classique ne fait pas du mariage un thème fondamental, on le trouve dans presque toutes les pièces comiques de l'époque. Le mariage se confond avec l'idée même qu'on se fait du comique au XVIIe siècle.

Toutefois le mariage n'est pas un thème parmi d'autres; il exprime l'essence du comique. Cette puissance à susciter le rire, il la tire du fait qu'il est un révélateur des tensions de la société présente, de ses contradictions, de ses refoulements, de sa part obscure et maudite. Le mariage devient en effet rapidement un lieu de conflit: conflit entre les générations, entre les sexes, entre les conceptions de la vie, voire conflit entre les classes sociales. Il pose toutes sortes de problèmes dont l'analyse permet de mieux comprendre les mentalités du temps de Louis XIV et les enjeux profonds du comique.

LA TOUTE-PUISSANCE DU PÈRE ET DU MARI

La plupart des pièces de Molière ont une trame identique : un personnage tyrannique et égoïste, en général le père, désire imposer à son enfant un mariage dont celui-ci ne veut pas. Finalement l'autorité paternelle sera défaite et l'enfant, fils ou fille, épousera l'être qu'il aime. Le comique d'une pièce de Molière se nourrit ainsi de deux données récurrentes qui sont liées l'une à l'autre : la toute-puissance paternelle et un mariage forcé. Si Arnolphe n'est pas le père véritable d'Agnès, il en a les prérogatives. Juridiquement, la jeune fille est sa pupille en sorte qu'il peut exercer sur elle l'autorité d'un père. Nettement plus âgé qu'elle, il a les allures d'un barbon, ce qui fait de lui le jumeau d'Harpagon, d'Orgon ou d'Argan. Or le père, au XVIIe siècle, est un personnage tout-puissant.

La société du XVIIe siècle est patriarcale, autrement dit soumise au pouvoir absolu du père, dans un rapport d'analogie avec la puissance souveraine du roi et de Dieu. À cette époque, les enfants ne sont majeurs qu'à l'âge de vingt-cinq ans. Arnolphe, ignorant encore les vraies intentions d'Oronte, lui demande, à l'égard d'Horace, « de faire valoir l'autorité de père », et il ajoute : « Il faut avec rigueur ranger les jeunes gens, / Et nous faisons contre eux [contre leur intérêt] à leur être indulgents » (V, 7, v. 1681-1683). Un père peut faire arrêter son fils indocile ou mettre sa fille récalcitrante dans un couvent. À bout d'arguments avec Agnès, Arnolphe use brutalement de ce pouvoir : « Vous rebutez mes vœux et me mettez à bout ; / Mais un cul de convent me vengera de tout » (V, 4, v. 1610-1611). Le père dispose juridiquement et socialement de « la toute-puissance » (III, 2, v. 700). Et c'est en maître absolu qu'Arnolphe coupe court à la conversation avec Agnès, qui clôt l'acte II : « C'est assez. / Je suis maître, je parle : allez, obéissez » (II, 5, v. 641-642). De ses enfants, le père attend une soumission totale. Et même si Arnolphe n'est pas le père biologique d'Agnès, nous assimilons son comportement à celui d'un père. Face à l'autorité paternelle, les enfants vivent dans la crainte. Horace est terrorisé à l'idée que son père va rentrer (V, 6, v. 1641).

La puissance paternelle au XVIIe siècle se manifeste particulièrement à l'occasion des mariages. Dans les familles nobles et dans de nombreuses familles bourgeoises, le père décide du mariage de ses enfants en fonction de ses propres intérêts politiques, économiques ou sociaux. Oronte et Enrique ont marié leurs enfants sans les informer. Horace est pris de panique : « C'est qu'il m'a marié sans m'écrire rien, / Et qu'il vient en ces lieux célébrer ce lien » (V, 6, v. 1630-1631). De même, Arnolphe, en tant que tuteur jouissant de la puissance paternelle, marie Agnès sans la consulter sur ses sentiments : « À choisir un mari vous êtes un peu prompte. / C'est un autre, en un mot, que je vous tiens tout prêt » (II, 5, v. 628-629).

LA CONDITION DES FEMMES
AU XVIIe SIÈCLE

La soumission féminine

Au XVIIe siècle, les femmes se trouvent dans un état continuel de soumission à l'égard des hommes. Sur le plan juridique, elles passent de l'autorité de leur père à celle de leur mari. Malgré son caractère grotesque et incompréhensible en apparence, l'intervention du notaire utilise exactement les termes alors en vigueur pour dresser les contrats de mariage (IV, 2). Ces contrats se font à l'avantage des maris qui disposent des biens communs avec un pouvoir absolu. C'est lui par exemple qui décide du montant du « douaire » (v. 1053) qu'il assigne à son épouse, autrement dit des biens qu'il laissera à femme en usufruit s'il vient à mourir (v. 1062-1063). Le notaire apporte la caution de la justice pour légitimer la tyrannie matrimoniale d'Arnolphe.

Mais le barbon exprime aussi des positions misogynes, largement partagées à son époque : la femme est inférieure à l'homme, elle a pour seule vocation la maternité et les soins de son ménage ; c'est l'homme qui exerce l'autorité :

> Du côté de la barbe est la toute-puissance.
> [...]
> Et ce que le soldat, dans son devoir instruit,
> Montre d'obéissance au chef qui le conduit,
> Le valet à son maître, un enfant à son père,

> À son supérieur le moindre petit Frère,
> N'approche point encore de la docilité,
> Et de l'obéissance, et de l'humilité,
> Et du profond respect où la femme doit être
> Pour son mari, son chef, son seigneur et son maître
> (III, 2, v. 700- 712).

La femme est représentée ici, conformément aux mentalités de l'époque, comme une personne mineure. Arnolphe décrit l'état de soumission qu'elle doit manifester dans le langage politique et social de la féodalité qui définit alors les relations entre les gens. Le système féodal repose sur des liens de vassalité, autrement dit des liens entre protecteur et protégé. L'évolution progressive de la société va peu à peu substituer la relation contractuelle à la relation de protection et d'obligation. Le mari, à l'intérieur de la famille, est considéré comme une sorte de monarque, voire une image de Dieu. Il inspire, à l'instar de Louis XIV, une sorte de terreur sacrée, qui fait « baisser les yeux » (III, 2, v. 714).

Cette conception de la femme, cautionnée par l'Église, se nourrit aussi d'une misogynie, d'un mépris de l'homme à l'égard de la femme que résume brutalement Alain : « La femme est, en effet, le potage de l'homme » (II, 4, v. 436).

Les Maximes du mariage

L'École des femmes donne de la condition féminine une image terrible, qui culmine avec Les Maximes du mariage ou les devoirs de la femme mariée (III, 2, v. 747-801). Sur le modèle des dix Commandements que Dieu édicte à l'attention du peuple hébreu dans la Bible, Arnolphe fait lire à Agnès une sorte de catéchisme du mariage. Ces commandements prennent la forme de maximes, autrement dit d'énoncés à caractère général contenant une injonction au présent d'éternité et un verbe marquant l'obligation : « doit » ou « il faut ». Ces Maximes du mariage reflètent l'enfermement que subit la femme au XVIIe siècle, enfermement physique, moral et intellectuel.

L'enfermement physique

La femme doit garder la maison et s'occuper de son ménage. Tel est le sort qui est réservé à Agnès. Elle n'a d'ailleurs pas connu d'autre situation que l'enfermement. Placée d'abord « Dans un petit couvent, loin de toute pratique », autrement dit de toute relation avec autrui, elle est ensuite « mise à l'écart » par Arnolphe (I, 1, v. 135 et 145), sous la surveillance d'Alain et de Georgette. Agnès ne peut pas causer un plus grand plaisir à son tuteur, quand elle se présente à lui en femme d'intérieur docile et laborieuse : « Je me fais des cornettes ; / Vos chemises de nuit et vos coiffes sont faites » (I, 3, v. 239-240).

L'enfermement moral

La femme mariée n'existe pas au XVIIᵉ siècle en dehors de son mari. *Les Maximes* que fait lire Arnolphe développent principalement ce thème : « l'homme qui la prend ne la prend que pour lui » (v. 751). Elle n'a aucune existence sociale en dehors de son mari. Chaque maxime développe de manière outrancière une interdiction : l'épouse n'a pas le droit de se parer à sa guise (II), de se maquiller (III), de chercher à plaire (IV), de recevoir qui elle veut (V), d'accepter des présents (VI), de se mêler à des « assemblées » (VIII), de se livrer au jeu (IX), de partir en promenade à la campagne (X). Ces maximes présentent le mariage comme une prison, qui dénie à la femme tout désir d'indépendance et d'épanouissement personnel.

L'enfermement intellectuel

L'éducation des femmes au XVIIᵉ siècle est très négligée. On leur enseigne seulement ce dont elles auront besoin pour tenir leur ménage. On se méfie de leur curiosité et de leur désir d'accéder à la culture. Arnolphe vit dans la hantise qu'Agnès devienne intelligente et cultivée. Il fait tout pour qu'elle demeure « idiote » et ignorante (I, 1, v. 138). Il prend soin de l'entourer de deux valets imbéciles et incultes, Alain et Georgette. Agnès ne doit surtout pas s'instruire ou s'initier à la littérature :

Non, non, je ne veux point d'un esprit qui soit haut;
Et femme qui compose en sait plus qu'il ne faut.
Je prétends que la mienne, en clartés peu sublime,
Même ne sache pas ce que c'est qu'une rime (I, 1, v. 93-96).

Arnolphe pousse la volonté d'abrutir sa future épouse jusqu'à l'empêcher de disposer matériellement des moyens d'écrire, comme le prescrit la *Maxime VII*.

Il aurait même souhaité, si cela avait été possible, qu'elle demeure analphabète, comme il le remarque amèrement au moment où Horace lui lit le message qu'elle a attaché au caillou : « Voilà friponne, à quoi l'écriture te sert; / Et contre mon dessein l'art t'en fut découvert » (III, 4, 946-947).

AGNÈS ET LA DÉFENSE DES FEMMES

Molière a bien conscience de l'injuste condition féminine à son époque. La défense des jeunes filles contre la tyrannie paternelle et leur revendication à se marier par amour est l'un des grands ressorts dramatiques de son théâtre. Même si ses positions s'appuient en partie sur les mentalités religieuses et sociales des gens de son époque, elles sont présentées de manière tellement caricaturale qu'elles apparaissent risibles et monstrueuses.

L'émancipation des femmes

Pour beaucoup de spectateurs des années 1660, Arnolphe énonce un point de vue déjà rétrograde, car le XVIIe siècle se caractérise par un début de mouvement d'émancipation des femmes, principalement dans les milieux aristocratiques et intellectuels. À partir des salons, qui organisent de nouveaux espaces de civilité, les femmes redéfinissent les rapports sociaux entre les sexes et posent de nouvelles bases pour penser et confectionner des œuvres littéraires. S'il leur est difficile d'exercer un pouvoir politique, encore que la continuité de la monarchie française aux XVIe et XVIIe siècles soit largement assurée par trois reines fort puissantes :

Catherine de Médicis (1519-1589), Marie de Médicis (1573-1642) et Anne d'Autriche (1601-1666), elles revendiquent une plus grande autonomie à l'égard des contraintes du mariage ainsi que le droit d'accéder pleinement à la culture et à la littérature.

Les précieuses, en dépit de leurs excès et des critiques que leur adresse Molière dans *Les Précieuses ridicules* et *Les Femmes savantes*, se situent à l'avant-garde de la protestation féminine au XVIIe siècle : elles valorisent l'amour en le soustrayant à la brutalité masculine et à la contrainte matrimoniale, elles revendiquent une parfaite égalité intellectuelle avec les hommes. « Féministes » avant la lettre, elles ont beaucoup fait pour modifier le comportement de la société à l'égard de la condition féminine. Mais beaucoup d'hommes ressentent les précieuses comme des ennemies. Ils craignent que les femmes les dépossèdent de leur autorité de parole et de pensée, voire de leur autorité paternelle et maritale. Ils redoutent de les voir déserter leur rôle traditionnel de mère, d'épouse et de maîtresse de maison.

Arnolphe et les femmes d'esprit

Telle est la hantise d'Arnolphe. S'il éduque Agnès dans l'abrutissement et l'ignorance, s'il cherche à vivre avec « une femme stupide » (I, 1, v. 103), c'est parce qu'il redoute plus que tout la précieuse, la femme spirituelle et émancipée. Il ne cesse, au cours de la pièce, d'exprimer cette hantise. Dès la première scène, il fait le portrait de la précieuse qui tient salon et reçoit ses amis dans la « ruelle », c'est-à-dire l'espace compris entre son lit et le mur latéral de la chambre (I, 1, v. 87-90). Et si Agnès lui donne une marque de soumission et d'ignorance, Arnolphe se réjouit (I, 3, v. 244-248).

La femme qui sert de repoussoir à la parfaite épouse dans les *Maximes du mariage* est cette « femme d'esprit », qui est « un diable en intrigue » (III, 3, v. 829). Or peu à peu Agnès s'émancipe, réfléchit, intrigue pour mener à bien ses amours. À la fin de la pièce, elle est devenue ce qu'Arnolphe a tout fait pour éviter :

« Voyez comme raisonne et répond la vilaine! / Peste! une précieuse en dirait-elle plus? » (V, 4, 1541-1542).

La révolte d'Agnès

D'abord en position d'infériorité, Agnès évolue à mesure que progresse l'intrigue de la pièce. Arnolphe l'a sous-estimée. D'emblée le spectateur est amené à sympatiser avec cette jeune fille tyrannisée et séquestrée injustement. Comme beaucoup d'autres jeunes femmes du théâtre de Molière, elle se révolte contre l'ordre établi et les traditions qui aliènent les femmes.

C'est pourquoi nous applaudissons à ses ruses, à la manière avec laquelle elle transgresse les règles et les lois qu'on lui impose. Sa révolte, dans l'oppressante société patriarcale du XVIIe siècle, ne peut s'exprimer que par la ruse et par le mensonge. Avec aplomb, elle finit par tenir résolument tête à son tuteur au cinquième acte. Au cours des trois premiers, elle use avec habileté de stratagèmes pour tromper la vigilance de ses gardiens et l'oppression d'Arnolphe.

Dans une société que verrouille le pouvoir absolu des hommes, les femmes sont condamnées à la ruse pour donner un peu d'espace à leurs désirs et à leurs sentiments. Le spectateur rit des stratagèmes qu'Agnès invente pour se tirer d'embarras et protéger ses amours et prend plaisir à voir triompher le désir amoureux des deux jeunes gens. Agnès n'a pas d'autre choix que le mensonge face à un pouvoir tyrannique et bloqué. Molière met ainsi en évidence, à travers le combat féministe, l'ambiguïté des valeurs chez ceux qui cherchent à acquérir plus d'indépendance et de droit au plaisir.

4 | Arnolphe, un personnage monomane

L'*École des femmes* est une école de l'amour pour Agnès, mais aussi pour Arnolphe et Horace. Tous deux sont en situation de rivalité par rapport à Agnès, l'objet de leur désir. Avec la jeune fille, ils forment un trio aux relations complexes. Chacun des trois personnages incarne des types : le barbon monomane, l'ingénue qui s'éveille à l'amour et le jeune étourdi. Mais c'est surtout l'intrication de l'intrigue, le nœud des échanges et des conflits, qui leur donnent une véritable profondeur et une intensité dramatique incomparable.

Le parcours d'Arnolphe au fil de la pièce le conduit de la maîtrise à l'humiliation et à la défaite. Sa conception de l'amour évolue vers le ridicule, mais elle se colore d'une inflexion tragique qui la rend particulièrement émouvante.

UNE FIGURE DOMINATRICE

La folie de la possession

Si Agnès subit du début à la fin de la pièce une évolution constante, il en va de même pour Arnolphe. Les deux personnages connaissent un trajet inverse : tandis que l'un se fait et se construit, l'autre se défait. Au premier acte, Arnolphe paraît conforme à la tradition du barbon, homme d'un certain âge, qui en dépit de la nature s'éprend d'une femme beaucoup plus jeune que lui, qui de plus ne l'aime pas.

Assurément il aime Agnès, mais d'un amour que l'on peut qualifier de pervers. Il a en effet monté une machination, qui le dispense du risque d'une authentique relation a l'autre. De peur de souffrir, d'éprouver la torture du manque et celle de la dépossession, Arnolphe a entrepris de dénaturer un être humain de manière à le rendre esclave de son désir et de sa volonté. Il s'est imaginé qu'une éducation à l'écart des circuits traditionnels façonnerait une femme conforme à ses phantasmes et à sa vision du monde. Ce comportement dégénéré devrait normalement aboutir à la création d'un monstre, d'une jeune femme contre-nature soumise et stupide.

Cette conception perverse de l'amour est fondée sur la possessivité, l'enfermement et la négation. *Les Maximes du mariage* orchestrent ce désir pathologique de la possession : « l'homme qui la prend ne la prend que pour lui » (III, 2, v. 751) ; « Elle ne se doit parer / Qu'autant que peut désirer / Le mari qui la possède » (v. 754-756). Tandis qu'Arnolphe affirme son pouvoir et son autorité, la jeune femme est condamnée à subir l'interdit et à vivre sur le mode négatif : « Elle ne doit plaire à personne » ; « Des promenades du temps, / Ou repas qu'on donne aux champs, / Il ne faut point qu'elle essaye » (v. 769, 796-798). L'enfermement dans l'espace privé de la maison concrétise ce désir totalitaire et aliénant de possession de l'autre. Maniaque de la pureté, il la confine dans un espace carcéral, qui se réduit à la « maison » : « Dans la maison toujours je prétends la tenir » (IV, 5, v. 1134).

La culpabilisation d'Agnès

Arnolphe s'imagine qu'en disposant du corps de l'autre et de la totalité de son environnement, il pourra facilement disposer de son cœur et de son désir. Il fait même de cette supériorité matérielle un argument pour maintenir Agnès dans la conscience de son infériorité et son devoir de gratitude. Elle doit se souvenir qu'elle lui doit tout, de manière à ne jamais avoir l'idée de se révolter :

> Je vous épouse, Agnès ; et cent fois la journée,
> Vous devez bénir l'heur de votre destinée,
> Contempler la bassesse où vous avez été,

Et dans le même temps admirer ma bonté,
Qui de ce vil état de pauvre villageoise
Vous fait monter au rang d'honorable bourgeoise (III, 2, 679-685).

Arnolphe veut convertir la force en droit et faire croire que son autorité, en réalité usurpée, découle de la nature et s'inscrit dans l'ordre du destin. Cette démarche vise à annihiler toute velléité d'indépendance et d'autonomie chez la jeune femme.

Le déroulement de l'action démolit cette conception perverse de l'amour. La femme aimée n'est pas plus un « potage » (II, 3, v. 436) qu'un plat que l'on fait mijoter avant de le consommer selon son caprice. Arnolphe doit déchanter.

LA REPRÉSENTATION DE LA DÉFAITE

Cette désillusion est l'un des moteurs dramatiques de la pièce. L'originalité de *L'École des femmes* tient au fait qu'on ne voit pas se dérouler les péripéties successives par lesquelles Horace fait la conquête d'Agnès, mais on découvre les réactions d'Arnolphe écoutant le jeune homme lui raconter ses exploits.

La perte du masque

Nous assistons ainsi, de scène en scène, à la lente décomposition de son personnage de bourgeois sûr de lui et de son autorité. Comprenant qu'il est en rivalité avec Horace, Arnolphe est conduit à évoluer et à considérer d'une manière différente ses relations avec Agnès, avant de changer complètement d'attitude.

Mais déjà il souffre, à la fois pris de panique et impuissant devant les récits répétés d'Horace, qui lui signifie à chaque fois un peu plus que la jeune femme lui échappe. C'est toujours dans des apartés et dans ses nombreux monologues qu'il laisse éclater sa souffrance :

Ouf! Je ne puis parler, tant je suis prévenu :

Je suffoque, et voudrais me pouvoir mettre nu (II, 2, 393-394).

Oh!…. Oh! que j'ai souffert durant cet entretien!
Jamais trouble d'esprit ne fut égal au mien (I, 4, v. 357-358).

[…] Je souffre en damné (II, 5, v. 577).

Comme il faut devant lui que je me mortifie!
Quelle peine à cacher mon déplaisir cuisant! (III, 5, v. 977-978).

Ces accès de souffrance témoignent d'un amour-propre blessé, d'un sentiment d'impuissance. Mais à la fin de l'acte III, la tonalité change : les plaintes d'Arnolphe expriment plus nettement le dépit amoureux, la jalousie, la souffrance de l'amour.

En amoureux sincère, Arnolphe exprime dans la douleur sa hantise de la perte et de la dépossession : « Mais il est bien fâcheux de perdre ce qu'on aime » (v. 993). Évolution qui le conduit à l'aveu de son amour qui traduit la contradiction inextricable dans laquelle il se trouve désormais :

Elle trahit mes soins, mes bontés, ma tendresse :
Et cependant je l'aime, après ce lâche tour,
Jusqu'à ne me pouvoir passer de cet amour.
Sot, n'as-tu point de honte ? Ah! je crève, j'enrage,
Et je souffletterais mille fois mon visage (v. 997-1001).

UN PERSONNAGE QUI TOUCHE AU TRAGIQUE

L'inversion des rôles

Sentant que le pouvoir change de camp et que les rôles s'inversent, Arnolphe souffre de ne pouvoir toucher le cœur d'Agnès, de se heurter à sa « piquante froideur » (v. 1566) et à son insensibilité.

Arnolphe s'humanise et découvre les tourments de l'amour. Conformément à la douloureuse logique de la jalousie, plus l'être aimé se montre distant et froid, plus l'amour qu'on lui voue s'intensifie ; plus on sent qu'il nous échappe, plus on s'accroche à lui :

> Plus en la regardant je la voyais tranquille,
> Plus je sentais en moi s'échauffer une bile (IV, 1, v. 1016-1017).

La scène de confrontation avec Agnès à l'acte V lui fait toucher le comble de la souffrance et le plonge dans la folle passion amoureuse. En même temps qu'il avoue son amour à la jeune fille, il lui faut entendre exprimer le dégoût qu'elle éprouve pour lui. Scène comique sans doute, mais pathétique aussi, dans la mesure où, dans la position de l'amoureux délaissé, Arnolphe découvre qu'il n'est pas aimé. Le comique confine ici au tragique, lorsque l'amoureux au désespoir questionne : « Vous ne m'aimez donc pas, à ce compte ? » Et la jeune femme de lui répondre sur un ton sans appel : « Hélas ! non » (V, 4, v. 1531-1532). Arnolphe comprend trop tard son erreur : il n'a jamais cherché à se faire aimer d'Agnès, à la séduire ou à lui plaire. Ce n'est pas avec de l'argent (v. 1547) et de la « politique » (v. 1197), autrement dit de l'organisation pratique et de l'habileté, ce n'est pas avec de la « puissance » (v. 1537) qu'on peut se rendre maître d'un cœur.

Un personnage complexe

La fin de la scène 4 de l'acte V touche au sublime dans le ridicule et dans l'expression du désespoir amoureux. À son corps défendant, Arnolphe est lui-même confronté aux « mystères d'amour » (IV, 5, v. 1139). « Chose étrange d'aimer » (V, 4, v. 1572), s'écrie-t-il, submergé par un sentiment qu'il ne comprend pas et qu'il ne peut contrôler. Mais il est trop tard, il a laissé passer sa chance. Passant du vouvoiement au tutoiement, qui, dans le théâtre classique, marque l'entrée dans l'intimité mais aussi le paroxysme du drame, Arnolphe réclame éperdument l'amour d'Agnès. À l'opposé d'un Arnolphe maître de lui et ridicule au début de la pièce, il devient presque tragique dans son amour pour Agnès (v. 1586-1589, 1594-1596).

La présence de la mort

L'École des femmes, observée du point de vue d'Arnolphe, apparaît comme une mise à mort inexorable. L'expression de la blessure et de la mort intervient fréquemment au cours de la pièce. Reprenant les *topos* de la poésie lyrique, l'entremetteuse dit ainsi à Agnès : « vos yeux, pour causer le trépas, / Ma fille, ont un venin que vous ne savez pas » (II, 5, v. 521).

Mais l'exacerbation de la situation dramatique dans *L'École des femmes* confère au thème de la mort une signification plus complexe. Arnolphe assiste à la mort violente de son idéal de pureté, en même temps qu'à la destruction progressive de son identité. La « violence » (V, 1, v. 1352) est l'une des clefs du personnage. À la violence de la tyrannie, qu'il exerce sur les autres et notamment sur Agnès qu'il condamne à la séquestration et à l'assouvissement de sa perversion, succède la violence que les autres lui infligent en lui soustrayant l'objet de son désir et de son idéal, et celle qu'il s'inflige à lui-même au moment où il désespère d'exercer le moindre pouvoir sur les autres.

La mort plane sur la pièce à maintes reprises. À commencer par l'hémistiche d'Agnès : « Le petit chat est mort » (II, 5, v. 461). L'entremetteuse qui servait de lien entre Horace et Agnès meurt à son tour (III, 4, v. 973). Et c'est bientôt Horace, assommé par Alain et Georgette, que l'on croit « mort » (V, 1, v ; 1359). Mais Horace, jouant de cette « feinte mort » (V, 2, v. 1400), attire à lui Agnès qui le rejoint et le ramène à la vie.

Mais c'est surtout l'agonie ou plutôt la mise à mort d'Arnolphe qui est représentée. C'est en effet le champ lexical de la mort qu'il utilise pour exprimer la progression de sa défaite : « Enfin me voilà mort », « c'est mon désespoir et ma peine mortelle », « Ah ! je crève » (III, 5, v. 982, 985, 1000), « bien qu'elle me mette à deux doigts du trépas » (IV, 1, v. 1014). La mort traduit ici la violence des sentiments qui assaillent le protagoniste. Mais lui-même est violent, il se met vite en colère. Pensons à la terreur qu'il fait régner sur ses domestiques qu'il se plaît à humilier et à menacer :

« Quiconque remûra, par la mort je l'assomme! » (II, 2, v. 399). Il demandera ensuite à Agnès de recevoir le jeune homme à coups de pierre (II, 5, v. 635) et à ses valets de le rosser (IV, 9, v. 1334-1342). Furieux d'avoir appris qu'Agnès a fait parvenir une lettre à Horace, il entre dans sa chambre, frappe « un petit chien » et casse « des vases » (IV, 6, v. 1158, 1161). Et lorsqu'il sent qu'elle lui résiste avec aplomb, il se retient pour ne pas la frapper.

Mais c'est contre lui-même, en désespoir de cause, qu'il retourne sa violence : « Et je souffletterais mille fois mon visage » (III, 5, v. 1001). La perte progressive de l'objet aimé a pour conséquence l'écroulement de l'identité d'Arnolphe. En même temps que s'effondre le phantasme d'une Agnès intacte et préservée des atteintes de la réalité, il fait la cruelle expérience de l'amour, autrement dit de la confrontation dangereuse au désir de l'autre.

5 | Le couple des jeunes amoureux

L'amour joue un rôle décisif dans l'évolution dramatique de *L'École des femmes*. Le terme « école » suggère l'idée d'une évolution, d'une initiation, d'un apprentissage. Au fil de la pièce, chaque personnage évolue, voit se modifier son rapport au monde. Agnès bien sûr, mais aussi Arnolphe et Horace, surpris par l'intensité du sentiment amoureux, découvrent des aspects nouveaux de leur identité et de leur existence. Chacun des trois personnages de *L'École des femmes* subit une métamorphose contre laquelle la volonté et le calcul ne peuvent rien (III, 4, v. 900 903).

Arnolphe a beau vouloir s'imposer comme le maître absolu d'Agnès et de la situation, l'amour se montre un maître encore plus souverain. Il modifie la personnalité à une grande vitesse opère d'incroyables « miracles », et confère de la souplesse et de l'intelligence. L'amour occasionne une éclosion, une explosion de la personnalité.

Mais l'amour contrarié est aussi le moteur de l'action. C'est lui qui en est l'origine et qui la fait progresser. L'histoire de *L'École des femmes* a pour point de départ l'amour qu'Arnolphe éprouve pour Agnès alors qu'elle n'est encore âgée que de quatre ans. L'intrigue de la pièce est lancée par le coup de foudre qu'Horace éprouve pour la jeune fille. Cet amour réciproque sème le désordre, multiplie les difficultés, cause à Horace, comme à Arnolphe un « grand embarras » (III, 4, v. 935 ; IV, 2, v. 1054). L'amour avec ses quiproquos jette le chaos dans l'ordre social et la méticuleuse organisation bourgeoise incarnée par Arnolphe ou par le notaire

AGNÈS À L'ÉCOLE DE L'AMOUR

L'éclosion d'une personnalité

L'évolution la plus spectaculaire est celle d'Agnès. Il faut aussi prendre au pied de la lettre son extraordinaire hémistiche : « Le petit chat est mort » (II, 5, v. 461). La petite Agnès, comme « le petit chat », ignorante et infantile n'est plus : place désormais à la jeune femme qui naît sous nos yeux !

Enfermée au début de la pièce, coupée du monde, elle éclôt peu à peu, s'ouvre au monde et prend conscience de son identité. Grâce à l'amour qu'elle éprouve pour Horace, elle fait tomber toutes les barrières qui la tenaient recluse et prisonnière, barrières matérielles, mais aussi morales et intellectuelles. Condamnée au début de la pièce à vivre enfermée dans une maison aux côtés d'un homme qu'elle n'aime pas, elle trouve le chemin de la liberté et de la conquête d'elle-même en cédant aux avances du jeune Horace.

Arnolphe s'est trompé à son sujet quand il la condamne à n'être qu'une « sotte » (I, 1, v. 82). Elle est déjà plus délurée qu'il ne le pense. Lorsque de retour chez lui, Arnolphe lui demande « Quelle nouvelle ? », elle répond avec l'espoir de détourner l'attention : « Le petit chat est mort » (II, 5, v. 460-461). Mensonge par omission, qui prouve qu'Agnès découvre les vertus de la ruse, voire du mensonge, pour se tirer d'une situation inextricable et tragique. Ensuite elle enchaîne les stratagèmes pour maintenir le lien avec Horace, que symbolise le « ruban » qu'elle se laisse prendre complaisamment (v. 578). Les récits d'Horace retracent impitoyablement les progrès en hardiesse de la jeune fille. C'est d'abord la ruse du billet attaché à la pierre. Poussée par l'amour, Agnès invente des subterfuges qui donnent le change. L'amour la rend intelligente et débrouillarde (III, 4, v. 919-923).

Agnès montre non moins d'adresse, comme dans les scénarios les plus traditionnels des fabliaux et du vaudeville, pour dissimuler son amoureux « dans une grande armoire » (IV, 6, v. 1153). Horace, qui se fait l'interprète du dramaturge et du spectateur, décrit en termes admiratifs ce passage émouvant de l'ombre à la clarté, cette révélation miraculeuse que produit le surgissement de l'amour : « L'amour a commencé d'en [l']esprit] déchirer le voile » (III, 5, v. 952-956). Nous assistons à la naissance d'une jeune femme à la vie, dans l'émerveillement de la passion amoureuse.

La conquête d'une identité

Au départ, Agnès peut apparaître niaise, telle qu'Arnolphe s'est efforcé de la façonner. Elle montre notamment une sensiblerie qui doit le ravir (II, 5, v. 541-542). Mais on sait déjà qu'elle peut jouer la comédie et cacher autant qu'il lui est possible le plaisir que lui cause un amour dont elle sait qu'il déplaît à Arnolphe. En même temps que le plaisir d'aimer, elle découvre un infini du sentiment, ce « je ne sais quoi » qui, au XVIIe siècle permet de qualifier le mystère de l'amour et de la grâce.

Tout en exprimant ses sentiments amoureux, Agnès découvre sa personnalité, indépendamment des principes qu'on lui a inculqués au couvent ou dans la maison d'Arnolphe. La surprise de l'amour est aussi une révélation de l'identité personnelle dans ce qu'elle a de plus privé et de plus irréductible. Dans cette optique, la lettre qu'elle envoie au jeune homme est une merveille de poésie amoureuse, de confiance dans la vie et dans l'avenir, en même temps qu'une réflexion sur le sens de son existence. Son trouble même et sa maladresse sont les indices de la ferveur et de l'authenticité de ses sentiments : « J'ai des pensées que je désirerais que vous sussiez ; mais je ne sais comment faire pour vous les dire, et je me défie de mes paroles. » Dans ce trouble de l'amour, Agnès commence à s'affirmer, à se poser en s'opposant, à vouloir s'affranchir de la culpabilité qu'on fait peser sur elle : « Comme je commence à connaître qu'on m'a toujours tenue dans l'ignorance, j'ai peur de mettre quelque chose qui ne soit pas bien, et d'en dire plus que je ne devrais » (III, 4). Si elle n'en a pas la connaissance exacte, elle a du moins l'intuition d'aller dans le sens de la nature et de son désir à elle. Elle pressent que son instinct ne contredit pas le sens de la vérité.

À l'acte V, dans la scène décisive qui l'oppose à Arnolphe, elle affirme avec aplomb l'autonomie de sa personnalité (V, 4, v. 1507). Cette confiance en elle se traduit par la conquête de la parole, dont Arnolphe avait seul la maîtrise au début de la pièce. Elle va même jusqu'à lui faire la leçon (V, 4, v. 1534-1536). Désormais elle lui tient tête et argumente pied à pied. Arnolphe essaie de la culpabiliser en invoquant tous les sacrifices qu'il a consentis pour son éducation et les « obligations » qu'elle doit avoir à son égard mais la jeune femme pense être bien plus redevable à Horace – « C'est de lui que je sais ce que je puis savoir » (v. 1562) –, elle se révolte contre l'éducation, ou la non-éducation, qu'a cherché à lui donner Arnolphe.

Ce dernier, non moins qu'Horace, est surpris par la finesse de sa pupille et les progrès rapides qu'elle a faits dans la compréhension des rapports de force qui conditionnent les individus. À l'école de l'amour, elle en a plus appris que pendant tout le reste de sa vie. Surtout, Agnès n'a plus peur, elle agit avec confiance et détermination. Arnolphe découvre qu'Agnès est plus intelligente qu'il ne le pensait ; elle est devenue une « belle raisonneuse » (v. 1546).

L'éloge du naturel

L'École des femmes pose de manière complexe la question du naturel. D'une certaine manière, Agnès, du fait de l'enfermement dont elle est depuis toujours victime, exprime la nature à l'état brut. Elle a été pour ainsi dire préservée des vices de la civilisation, de la dénaturation qu'implique la vie en société. Tel était le plan d'Arnolphe. Il lui a imposé cette réclusion « pour ne point gâter sa bonté naturelle » (I, 1, v. 147). Il considère que la nature de l'homme est bonne au départ, mais que la société la corrompt et la déprave. Et de fait, préservée des atteintes de la civilisation, Agnès manifeste une « pure nature » (III, 4, v. 944), une sorte d'innocence originelle. Dans la tradition chrétienne, Agnès, dont le nom dérive d'un mot grec signifiant chaste, pur (*hagnos*), est représentée avec un agneau dans les bras : elle symbolise la candeur, la pudeur, la virginité.

Dénuée de « malice » (III, 4), elle s'adonne au plaisir sans aucun sentiment de culpabilité. Lorsqu'Arnolphe lui demande de « chasser » l'« amoureux désir » qu'elle éprouve pour Horace, elle répond avec un grand naturel : « Le moyen de chasser ce qui fait du plaisir ? » (V, 4, v. 1526-1527). Le charme du personnage d'Agnès tient en partie à cette innocence, à cette ingénuité, à cette fraîcheur.

Mais la nature brute, peut être aussi la bêtise, la grossièreté. La réclusion a sans doute préservé Agnès des perversions de la société, elle l'a empêchée de devenir une femme affectée et maniérée, à la façon des précieuses ridicules. Mais elle courait le risque de devenir une sauvage, réduite, comme Alain et Georgette, individus frustes et grossiers, à la satisfaction animale des besoins liés à la survie. Sans vergogne, Arnolphe se félicite de constater qu'elle est une « sotte », une « idiote » (I, 1, v. 104, 138), tout juste bonne à lui préparer ses « chemises de nuit » et ses « coiffes » (I, 3, v. 240). Pour Molière cependant, l'être humain ne se réalise pas s'il est incapable de vivre en société, au contact des autres. C'est pourquoi les écrivains du XVIIe siècle, dans le sillage de Montaigne (1553-1592), n'ont cessé de réfléchir aux moyens de conserver une nature authentique et aussi spontanée que possible dans la vie sociale.

C'est la raison pour laquelle ils valorisent la notion de naturel, qui ne se confond pas avec celle de nature. Le naturel exprime la nature, mais en tenant compte des contraintes de la vie sociale. C'est là qu'interviennent l'éducation, le travail sur soi, le patient processus de la civilisation, qui transforment le besoin brutal en sentiment raffiné et l'égoïsme en souci constructif de l'autre. Au XVIIe siècle, on appelle « honnête homme » l'individu qui, grâce à la civilisation, et notamment grâce à la pratique de la conversation, mais aussi des arts et de la littérature, a converti sa nature en naturel, et sait demeurer lui-même, tout en s'intégrant harmonieusement à la vie sociale.

L'amour, pour peu qu'il ne se réduise pas à la satisfaction du désir physique, est pour Molière un puissant facteur de civilisation. Agnès acquiert très rapidement un « beau naturel » (III, 5, v. 941).

La maîtrise du langage et de l'écriture

L'art de « l'écriture » (III, 4, v. 944), médiation qui oblige à la distance et à la réflexion, manifeste ce passage de la nature brute au naturel ; il maintient l'authenticité de la spontanéité tout en ménageant l'ouverture à l'autre.

La lettre d'Agnès, écrite en prose, rompt avec l'usage du vers dans le reste de la pièce. Elle exprime un mélange d'art et de spontanéité, de réticence et de désir, d'affirmation de soi et de pudeur, qui caractérise le naturel au XVIIᵉ siècle. L'usage de la prose, le genre épistolaire, la négligence gracieuse d'une parole qui rappelle la conversation, tous ces traits campent l'image d'une personne authentique. Ses hésitations, ses aveux d'ignorance, son désir de plaire tout en redoutant de n'y point parvenir, apparaissent comme des gages de sincérité et des preuves d'amour et montrent aussi l'attention d'Agnès au langage. Elle a déjà compris à quel point les mots, s'ils ont la capacité de dévoiler sentiments et désirs, peuvent aussi masquer et tromper. Elle veut croire à l'adéquation des mots et des sentiments, tout en comprenant que le risque de la duperie reste possible : « je suis si touchée de vos paroles, que je ne saurais croire qu'elles soient menteuses. Dites-moi franchement ce qui en est » (III, 4).

L'art de l'écriture épistolaire permet à Agnès de conquérir et de fortifier un espace d'intimité et de liberté. Elle s'y pose comme sujet autonome, soucieux d'affirmer son identité, comme le prouve la fréquence en quelques lignes du pronom personnel « je ». Agnès se découvre, s'invente dans le mouvement même de son écriture, mais en même temps elle invente sa relation avec

Horace. Sa lettre tisse un lien entre « je » et « vous » : « comme *je* [1] suis sans malice, *vous* auriez le plus grand tort du monde si *vous me* trompiez ; et *je* sens que *j'*en mourrais de déplaisir ». La création de ce lien implique que le jeune homme aussi découvre ses intentions, de manière à faire barrage à Arnolphe que la lettre exclut sous la forme du pronom impersonnel et anonyme « on ». « On me dit fort que tous les jeunes hommes sont des trompeurs » (III, 4).

De simple personnage manipulé, Agnès devient grâce à l'amour, un personnage à part entière, qui compte bien être à la source de ses propres désirs. Elle participe au mouvement d'émancipation des femmes qui traverse tout le XVIIe siècle et que reflète intensément le théâtre de Molière, à travers des jeunes femmes comme la Célimène du *Misanthrope*, l'Henriette des *Femmes savantes* ou l'Angélique de *George Dandin*. Pour ces jeunes femmes, l'invention de soi passe par la création d'une véritable histoire d'amour avec un homme librement choisi et désiré. Agnès plaide pour le respect de la nature des êtres, pour le plaisir comme indice infaillible du bonheur et pour l'authenticité des relations avec les autres.

HORACE, L'ÉTOURDI TRIOMPHANT

À première vue, le personnage d'Horace semble avoir moins d'étoffe qu'Agnès ou Arnolphe, moins d'originalité. Il constitue pourtant un élément indispensable dans le dispositif dramatique de *L'École des femmes*. Certes, il s'inscrit dans la tradition du jeune premier, beau et séducteur, qui s'empare de la belle. Mais le stéréotype est revivifié par l'insistance sur sa juvénile étourderie. Il permet en outre à Molière de représenter les relations plus subtiles qui peuvent unir un enfant à son père.

---

1. C'est nous qui soulignons.

Un rôle stéréotypé

Le personnage d'Horace s'inscrit dans une longue tradition dramatique, celle du jeune premier naïf. Son nom, Horace, lui confère d'emblée un *ethos*, autrement dit un certain nombre de caractéristiques qui préexistent à son apparition. Dans la *commedia dell'arte*, forme de comédie italienne très en faveur à Paris dans les années 1660, Horatio est le nom du jeune premier. Alors que les personnages d'Agnès et d'Arnolphe sont dotés d'une consistance psychologique, il apparaît comme un rôle type, une fonction. Défini par son désir amoureux, on devine qu'il va tout entreprendre pour conquérir la jeune fille et se marier avec elle.

Un galant homme

Horace s'exprime en galant homme, raffiné et policé par la vie des salons du XVIIe siècle. Il est le contrepoint du bourgeois sans finesse, incarné par Arnolphe, qui se veut direct et sans manières. Horace se fait remarquer par Agnès à cause de ses manières délicates, comme en témoigne le ballet des révérences multipliées que les deux jeunes gens s'échangent alors qu'ils ne se connaissent pas encore (II, 5, 486-490).

Horace a la courtoisie et la grâce de l'honnête homme, qui sait plaire aux femmes avec de belles manières. Il a par ailleurs beaucoup lu les poètes et les romanciers de son époque. Il évoque avec le langage lyrique et choisi de la galanterie « une beauté dont [son] âme s'est éprise », « un jeune objet », un « jeune astre d'amour » (I, 4, v. 312, 317, 326) ; Agnès a « un air engageant, je ne sais quoi de tendre, / Dont il n'est point de cœur qui se puisse défendre » (I, 4, v. 323-324).

Horace est caricaturé par Arnolphe sous les traits du « blondin », du jeune galant, futile, écervelé et séducteur. Il l'appelle aussi « godelureau », « jeune fou », « Petit sot » (IV, 1, 1011, 1032, 1035). Il met en garde Agnès contre les « beaux blondins » qui débitent des « sornettes » (II, 5, v. 596). Sans cesse il oppose la vertu, que lui-même incarne en qualité de « directeur » de conscience d'Agnès, au vice, dont il charge le jeune homme, comme en témoigne à la rime l'antithèse « séducteur »/ « directeur » (III, 1, v. 644-646).

De même, il fait rimer, pour les associer, « jeune blondin » et « malin », c'est-à-dire le diable (III, 2, v. 722, 721). Pour Arnolphe, le « blondin » est le pendant des « coquettes vilaines » (v. 719), autrement dit des jeunes femmes émancipées qui fréquentent les salons et prennent plaisir aux intrigues amoureuses. Arnolphe assimile Horace aux « marquis et beaux esprits » (I, 1, v. 90), les fameux « petits marquis » dont Molière s'est par ailleurs beaucoup moqué.

L'ambivalence de l'étourderie

Horace possède un trait qui le distingue à l'intérieur de la catégorie plus générale du jeune premier, c'est un étourdi, un jeune homme qui ne réfléchit pas à tout ce qu'il fait et aux conséquences de ses actions. C'est ainsi que le désigne Arnolphe : « mon étourdi » (III, 3, v. 833), « cet étourdi » (IV, 7, v. 1214).

Or l'étourderie constitue chez Molière un grand ressort du comique, dans la mesure où elle crée des situations dramatiques cocasses et imprévues, perturbant le rythme habituel de la vie sociale et créant des quiproquos. Il a déjà exploité ce thème avec succès dans une comédie intitulée précisément *L'Étourdi ou les contretemps* (1655). Lélie, amoureux de la jeune Célie, fait échouer, à cause de son étourderie, toutes les machinations que met en place son valet Mascarille pour conquérir la belle. Finalement le destin servira ses amours *in extremis* et il pourra épouser la jeune fille. L'étourderie est à l'origine du quiproquo qui lance l'action et possède un double aspect : d'un côté, c'est un défaut, source de contretemps et marque d'un manque de vigilance, mais d'un autre côté, elle est sympathique, car elle indique une absence de préméditation, le primat des sentiments et des émotions sur le calcul et la précaution. Horace connaît

Agnès depuis quelques jours seulement et il n'hésitera pas à l'épouser à la fin de la pièce. Il a la spontanéité de ceux qui entreprennent avec confiance et gaieté : « Je suis homme à saisir les gens par leurs paroles » (I, 4, v. 283).

L'étourderie d'Horace, dans la pièce, consiste surtout à choisir son rival pour confident de ses amours. Il éprouve tellement le besoin d'en parler qu'il se confie hâtivement à Arnolphe, qui n'est pas l'un de ses amis intimes mais seulement une connaissance familiale que les hasards du voisinage mettent sur sa route. Contrairement à Arnolphe, qui vit dans le calcul et la duplicité, Horace n'hésite pas à parler de lui et de ses sentiments : il est sans peur et sans malice (I, 4, 303-305).

Jouant du fait qu'Horace ignore que Monsieur de la Souche et Arnolphe ne sont qu'une seule et même personne, Arnolphe va pouvoir, pense-t-il, rester maître de la situation. Cette donnée paradoxale, source du comique, est aussi l'occasion pour le barbon, de scène en scène, de brosser un portrait de son rival dont les méthodes le consternent par leur caractère improvisé, mais qui ne laissent pas non plus de l'inquiéter (I, 4, v. 359-362). De même qu'il se plaît à faire la « satire » (I, 1, v. 43) des maris trompés, Arnolphe ne se prive pas de satiriser les étourdis, qui affaiblissent leurs actions en bavardant et en découvrant leurs projets (III, 4, v. 833-841). L'économie dramatique de la pièce déjoue néanmoins ironiquement ses calculs tandis qu'elle fait triompher, en dépit de ses maladresses, le désir amoureux du jeune homme.

La comédie, par le déroulement de l'intrigue, donne le pas à la spontanéité, à la fraîcheur du premier mouvement. L'étourderie d'Horace se retourne en gage de sincérité et de vérité, en signe d'un amour absolument naturel. À l'inverse du froid calcul, la maladresse se révèle une preuve de bonne foi et d'émotion authentique. Par sa naïveté qui le préserve, l'étourdi reste en contact avec « la pure nature » (III, 4, v. 944).

6 | Vers une psychocritique de *L'École des femmes*

Arnolphe n'est pas seulement le rival d'Horace en amour, il occupe aussi la position du père. C'est pourquoi la relation entre les personnages touche, par le biais du comique, les zones les plus profondes de la sensibilité, à la fois conscientes et inconscientes. Au-delà de l'intrigue amoureuse, *L'École des femmes* figure de manière complexe certains phantasmes liés aux relations parents/enfants, au moins au niveau imaginaire. C'est la raison pour laquelle la psychanalyse freudienne fournit des éléments éclairants pour une psychocritique de la pièce, autrement dit une lecture qui mette en évidence les grands schémas psychiques et universels sur lesquels joue Molière pour nous toucher et nous faire rire. Charles Mauron, dans *Psychocritique du genre comique* [1], a ouvert la voie à ce type d'approche.

COMPLEXE D'ŒDIPE ET THÉÂTRE

Sigmund Freud, en s'appuyant sur la légende grecque d'Œdipe, qui, sans le savoir, tue son père et épouse sa mère, forge la notion de complexe d'Œdipe pour décrire les relations d'amour et de haine entre parents et enfants. Ce complexe revêt notamment la forme d'un lien sentimental avec le parent du sexe opposé et d'une attitude de rivalité avec le parent de même sexe. Prenant sa source dans la petite enfance, cette relation œdipienne avec les parents conditionne, pour les psychanalystes, toute la vie d'adulte, notamment quand elle prend l'allure de névroses,

---

1. Paris, José Corti, 1985.

autrement dit de troubles psychiques. La construction psychique de l'Œdipe qui conduit le petit garçon à se concentrer affectivement sur sa mère et à développer des relations hostiles avec son père apparaît tout à fait normale et nécessaire, pourvu qu'il arrive à surmonter cette étape sans en pâtir.

Au théâtre, les situations dramatiques représentent des phantasmes, des scénarios extrêmes qui réveillent notre inconscient, et qui nous touchent intimement. Comme l'explique Charles Mauron, le théâtre joue avec les deux composantes fondamentales de l'Œdipe : le « conflit avec le père et l'amour interdit », la représentation du parricide et celle de l'inceste. La comédie présente « toutes les combinaisons possibles entre la fantaisie où l'on berne (ou vole) un personnage paternel et celle où l'on satisfait un amour interdit [1] ». Elle met en scène des parcours initiatiques fondés sur des scénarios œdipiens dont les héros s'extraient pour notre plus grand bonheur.

LE NARCISSISME D'ARNOLPHE

Pour les psychanalystes, le narcissisme désigne le moment où le tout petit enfant, comblé par les caresses et l'amour de sa mère, s'imagine tout-puissant. L'apprentissage de la vie et la découverte des autres s'accompagneront de blessures narcissiques qui donneront à l'enfant une plus juste appréciation du réel. Chez l'adulte demeure de manière inconsciente une nostalgie de ce moment idéal de puissance donné par l'amour maternel. Cette nostalgie se manifeste notamment dans le désir de toute-puissance. Le narcissisme est l'une des causes du processus d'idéalisation propre à la passion amoureuse : l'amoureux, qui pare l'être aimé de toutes les perfections, attend de retrouver grâce à lui le narcissisme euphorique de sa petite enfance.

---

1. Charles Mauron, *Des métaphores obsédantes au mythe personnel*, Paris, J. Corti, 1988, p. 135.

Telle est la situation d'Arnolphe. Il a construit Agnès de manière à ressentir un sentiment de toute-puissance à l'abri des atteintes du monde extérieur. Il a fabriqué ce que les psychanalystes appellent un *scénario pervers* : Arnolphe ne peut éprouver de plaisir, il ne peut avoir conscience de son existence que dans la création artificielle d'un scénario qui transforme l'autre en objet destiné seulement à flatter son *ego*.

La pièce fait peu à peu voler en éclat ce scénario. Arnolphe perd tout. Cette mort symbolique se traduit théâtralement par la perte du langage. Son dernier mot est une onomatopée « Oh! » (V, 9, v. 1764), comme le cri ultime d'une souffrance devenue insupportable. Arnolphe prononce ce mot en « *s'en allant tout transporté, et ne pouvant parler* ». Expulsé de la scène, il meurt pour ainsi dire d'aimer. Idéaliste perverti, il est cruellement rattrapé par le réel.

Molière mène ainsi jusqu'au bout l'une des virtualités de l'amour devenu fou. C'est pourquoi, depuis le XIXᵉ siècle, de nombreux de metteurs en scène n'hésitent pas à faire d'Arnolphe un héros tragique, un idéaliste qui refuse la médiocrité du réel, mais qui finit par devenir un monstre.

LE PARRICIDE SYMBOLIQUE

Le théâtre comique, comme le théâtre tragique, repose sur les deux composantes majeures du complexe d'Œdipe, inceste et parricide. Mais à la différence du théâtre tragique, le théâtre comique atténue la représentation de ces scénarios angoissants. C'est ainsi que le parricide est le plus souvent « remplacé par une défaite du père [1] », qui équivaut à une mort symbolique. Le conflit du père et du fils est généralement évité; il est remplacé par la relation père/fille, dont la représentation est plus aisée au XVIIᵉ siècle, ou bien il est atténué par la relation « barbon »/« blondin ».

---

1. *Psychocritique du genre comique, op., cit.*, p. 61.

Ces deux types de conflits sont figurés dans *L'École des femmes* par la relation Arnolphe/Agnès et Arnolphe/Horace. En tant que tuteur, Arnolphe fait office de père pour Agnès; Horace par ailleurs, en l'absence d'Oronte, le considère comme son « véritable père » (V, 6, v. 1649).

Charles Mauron repère dans le théâtre de Molière d'une part une donnée psychologique de base qui prend la forme d'une « crispation anxieuse » sur une femme, sur un trésor ou sur la vie, d'autre part un schéma dramatique fondamental opposant « un voleur et un volé[1] ». Telle est bien la double configuration de *L'École des femmes* : Arnolphe fait une fixation sur Agnès, mais en même temps il se heurte à Horace qui va lui voler la femme qu'il aime. Il considère d'ailleurs explicitement comme un « vol » l'entreprise amoureuse du jeune homme :

> Je souffre doublement dans le vol de son cœur;
> Et l'amour y pâtit aussi bien que l'honneur,
> J'enrage de trouver cette place usurpée (III, 5, v. 986-988).

> Si son cœur m'est volé par ce blondin funeste,
> J'empêcherai du moins qu'on s'empare du reste (IV, 7, v. 1208-1209).

La jouissance qu'éprouve le spectateur à regarder *L'École des femmes* combine « l'agression contre le père et la satisfaction amoureuse interdite[2] » avec la mère. L'imagination comique ravive ces angoisses et ces scénarios primitifs, mais sous la forme d'un jeu tourné vers la satisfaction et le plaisir. Arnolphe, en position paternelle, est vaincu, tandis que la femme est ravie par le fils, ou l'équivalent du fils. Le conflit des générations, relayé par la rouerie féminine, a pour corollaire la régression d'Arnolphe de l'état de domination et d'assurance à celui d'une angoisse infantile d'agression, de dépossession et d'abandon.

---

1. *Des métaphores obsédantes au mythe personnel*, op., cit., p. 271
2. *Psychocritique du genre comique*, op., cit., p. 49-76.

Arnolphe va se faire déposséder d'Agnès par un jeune homme qui pourrait être son fils. Dédoublé par la construction dramatique de la pièce, il incarne à la fois l'affection (Arnolphe) et la haine (Monsieur de la Souche). Ces deux figures se rejoindront dans la haine, quand Horace découvrira l'imposture. Mais c'est juste au moment où réapparaît le père véritable et aimant. L'image du bon père demeure donc et chasse définitivement, pour le plus grand plaisir du spectateur, celle du mauvais père, celui qui entretient avec le fils des relations de haine et de jalousie réciproques.

LA RÉALISATION DE L'AMOUR INTERDIT

Le plaisir comique repose sur la transgression de l'ordre établi par le désir des jeunes gens. Mais la structure complexe de *L'École des femmes* tire aussi parti du phantasme incestueux que suggère la relation œdipienne des personnages. Déjà plane sur le lien qui unit Arnolphe et Agnès l'ombre inquiétante de l'inceste. Un homme va épouser une jeune fille de dix-sept ans qui pourrait être sa fille et qui le considère comme son père. La pièce suggère cet accomplissement contre-nature de la relation entre un père et sa fille, mais elle permet aussi à Agnès de surmonter son Œdipe : elle retrouve son véritable père et se débarrasse de sa filiation avec Arnolphe.

Horace, en détrônant le barbon, réalise par ailleurs, dans le cadre de la représentation dramatique, le désir œdipien du fils cherchant à s'emparer de la femme de son père. Ainsi au niveau imaginaire et symbolique, Horace tue le père et épouse sa mère.

L'École des femmes met en scène les données freudiennes du complexe d'Œdipe avec une grande efficacité. L'intrigue, avec son caractère simple, voire archaïque, résonne en fonction de notre propre théâtre psychique, là où se sont imprimés désirs, conflits et angoisses de notre plus petite enfance. Elle permet à Horace, comme à Agnès, de surmonter harmonieusement et normalement leur complexe d'Œdipe pour accéder à l'âge adulte.

7 | La question religieuse

Dans *L'École des femmes,* l'un des aspects du comique prend la forme d'une satire virulente de l'utilisation hypocrite de la religion. Cette satire est en partie à l'origine de *La Critique de L'École des femmes.* Molière s'attaque à ce qu'au XVIIᵉ siècle on appelle la fausse dévotion. Loin d'avoir des motifs nobles et purement spirituels, certaines personnes peuvent se réclamer des *Écritures* et des dogmes de l'Église pour servir des buts privés et personnels. Contre cette forme d'hypocrisie, Molière écrira deux de ses plus grandes pièces, *Tartuffe* (1664) et *Dom Juan* (1665). Ce sont d'ailleurs ces deux œuvres qui lui causeront le plus d'ennuis. Mais *L'École des femmes* suscitera aussi l'indignation des autorités religieuses.

LA CULPABILISATION PAR LE PÉCHÉ[1]

Arnolphe a fait élever Agnès dans « un petit couvent » (I, 1, v. 135), de telle manière qu'elle demeure dans la bêtise et dans l'ignorance. Lorsqu'il la retrouve pour l'épouser, il utilise l'arme de la religion pour la maintenir dans l'ignorance et dans la soumission. Arnolphe tient un discours dévot, où le motif satanique joue un rôle essentiel. Il utilise une série de lieux communs qui appartiennent soit à la prédication religieuse, soit à l'iconographie chrétienne telle qu'on pouvait la trouver notamment dans les églises.

---

1. Sur cette question, voir Jean Delumeau, *Le Péché et la Peur : la culpabilisation en Occident, XIIᵉ siècle-XVIIᵉ siècle*, Paris, Fayard, 1983.

La tyrannie qu'Arnolphe fait peser sur Agnès repose sur le langage de la terreur. Il la fait vivre en permanence dans le sentiment de la faute, n'hésitant pas à dramatiser les actes de la jeune fille pour la culpabiliser. Lorsqu'elle lui raconte la manière dont elle est entrée en relation avec Horace, Arnolphe prend les allures d'un directeur de conscience. Après avoir joué sur le terme « foi », en le faisant passer de la confiance amoureuse à la croyance religieuse, il déploie le spectre de la religion chrétienne avec des accents de prédication (II, 5, v. 594-599). Aux yeux d'Arnolphe, la conduite d'Agnès « est un péché mortel des plus gros qu'il se fasse » (v. 599).

Épouvantée, elle demande la « raison » de ce péché. À quoi Arnolphe répond sur un ton sentencieux : « La raison est l'arrêt prononcé / Que par ces actions le ciel est courroucé » (II, 5, v. 600-601). Conformément à la tradition chrétienne, toute forme de sensualité ou de désir sensuel en dehors du mariage fait l'objet d'une condamnation impitoyable. Seul le mariage permet d'échapper à l'état de péché. Molière par la bouche d'Arnolphe caricature la pensée des théologiens :

> Oui, c'est un grand plaisir que toutes ces tendresses,
> Ces propos si gentils, et ces douces caresses ;
> Mais il faut le goûter en toute honnêteté,
> Et qu'en se mariant le crime en soit ôté (II, 5, v. 607 610).

Agnès tire naturellement la conséquence de cette condamnation du plaisir hors mariage : « N'est-ce plus un péché lorsque l'on se marie ? » (II, 5, v. 611). Lorsque la situation dramatique de la pièce aura tourné en sa faveur, Agnès renverra cruellement ses leçons à la figure d'Arnolphe en lui annonçant son désir de se marier avec Horace. Elle se pique même de respecter scrupuleusement le dogme chrétien :

> C'est un homme qui dit qu'il me veut pour sa femme ;
> J'ai suivi vos leçons, et vous m'avez prêché
> Qu'il se faut marier pour ôter le péché (V, 4, v. 1509-1510).

L'une des originalités de la pièce est de représenter avec Agnès un personnage innocent, qui n'a pas le sens du péché. L'espace confiné dans lequel elle a été recluse fait paradoxalement d'elle un être pur. Ignorante sur le plan intellectuel des choses de la vie, elle manifeste une parfaite intégrité morale qui se retourne contre Arnolphe. Elle ne comprend pas le lien qu'établit Arnolphe entre plaisir et faute. Il a beau s'efforcer de persuader Agnès qu'elle vit dans le mal (V, 4, v. 1526), la jeune fille persiste dans son ingénuité. Et de fait, le discours culpabilisateur contre le plaisir est l'une des armes les plus facilement utilisées par les prédicateurs chrétiens pour empêcher les fidèles d'éprouver un sentiment de liberté et d'épanouissement individuel.

LE MOTIF DIABOLIQUE

La peur est un sentiment qui repose très largement sur l'imagination. C'est pourquoi le discours culpabilisateur des auteurs et des prédicateurs chrétiens s'appuie sur des représentations destinées à frapper les imaginations. Le diable et tout l'imaginaire qui l'accompagne est aux XVIe et XVIIe siècles l'un des vecteurs les plus importants de la peur[1]. Arnolphe, usant de la figure de style appelée hypotypose[2], utilise avec cynisme cet imaginaire. Ses « discours » s'emploient délibérément à donner de la vie « une image terrible » (V, 4, v. 1517). C'est ainsi qu'il s'échine à présenter tout jeune homme, tout « jeune blondin » comme un avatar du diable, du « malin » (III, 2, v. 721) :

> Et ce sont vrais Satans, dont la gueule altérée
> De l'honneur féminin cherche à faire curée (III, 1, v. 655-656).

---

1. Sur la peur du diable, voir *Le Péché et la Peur*, op. cit., p. 304-449.
2. *Hypotypose* : figure de style qui consiste à représenter les êtres et les choses de manière si vivante qu'on a l'impression de les avoir sous les yeux.

Le discours de la terreur, issu. comme l'écrit Jean Delumeau de la « culture dirigeante[1] », travaille avec un grand raffinement les imaginations et les consciences. Arnolphe invoque en particulier, avec un luxe de détails, la mythologie des enfers et de leurs supplices effroyables (III, 2, v. 727-748) :

> Et qu'il est aux enfers des *chaudières bouillantes*[2]
> Où l'on plonge à jamais les femmes mal vivantes.
> [...]
> Elle [l'âme] deviendra lors *noire comme un charbon*;
> Vous paraîtrez à tous un *objet effroyable*,
> Et vous irez un jour, *vrai partage du diable*,
> *Bouillir dans les enfers à toute éternité*,
> Dont vous veuille garder la céleste bonté !

La mythologie des enfers promet au pécheur d'horribles châtiments à l'image de « ces chaudières bouillantes », qu'Arnolphe évoque avec une jouissance sadique pour épouvanter Agnès. Arnolphe est obsédé par la pureté. Il voit le monde d'une manière simpliste et manichéenne. Il rêve Agnès comme « un lis, blanche et nette » (v. 732).

Telles qu'elles sont présentées par Molière, les croyances d'Arnolphe s'apparentent à de la superstition, notamment lorsqu'il évoque l'enfer. Or il est dangereux au XVIIe siècle de ne pas croire à l'enfer : c'est le fait des libertins comme Don Juan (II, 2). Rappelons que pour les théologiens, le théâtre est une activité diabolique.

La peur viscérale d'Arnolphe à l'égard du cocuage repose sur une peur de la femme orchestrée par les discours chrétiens du XVIIe siècle. La femme dans les représentations religieuses, est considérée comme un « agent de Satan[3] ». Cette croyance nourrit un antiféminisme. Arnolphe illustre parfaitement cette tradition qui

---

1. *Le Péché et la Peur*, op. cit., p. 257.
2. C'est nous qui soulignons.
3. *Le Péché et la Peur*, op. cit., p. 398-449.

s'efforce de maintenir la femme dans un état de sujétion, car elle est plus facilement que l'homme en proie aux sollicitations du Malin. Face à Horace, Agnès est représentée comme Ève face au serpent : « Oh! que les femmes sont du diable bien tentées, / Lorsqu'elles vont choisir ces têtes éventées » (III, 4, v. 840-841). Les femmes, en outre, sont vite possédées par le diable. Arnolphe est ainsi épouvanté à l'idée qu'Agnès, sa future épouse, devienne une femme qui raisonne : « Une femme d'esprit est un diable en intrigue » (III, 3, v. 829). Or, c'est bien ce personnage tant redouté, passé maître dans l'intrigue que devient peu à peu Agnès. En évoquant à la ruse du caillou entouré d'un message, Arnolphe suspecte naturellement une influence diabolique : « le diable à son âme a soufflé cette adresse » (III, 5, v. 981). Lorsqu'à la fin de la pièce, il est cruellement humilié par Agnès qui lui dit qu'elle ne l'aime pas, le mythe du serpent diabolique resurgit : « Malgré tous mes bienfaits former un tel dessein! / Petit serpent que j'ai réchauffé dans mon sein » (V, 4, v. 1502-1503).

Cette vision de la femme tentée par Satan, voire elle-même sous l'emprise du démon, est complétée dans la pièce par le personnage de l'entremetteuse, qui, dans les mentalités de l'époque, est facilement associée à la sorcière dotée de pouvoirs maléfiques. Horace utilise en effet les services d'une entremetteuse pour plaider sa cause auprès d'Agnès. Molière s'inspire de la Macette de Mathurin Régnier pour représenter une vieille femme dans la posture diabolique de la tentatrice (II, 5, v. 503-510). Arnolphe ne s'y trompe pas. Il laisse éclater sa misogynie et sa hantise des sorcières :

> Ah! suppôt de Satan! exécrable damnée! [...]
> Ah! sorcière maudite, empoisonneuse d'âmes,
> Puisse l'enfer payer tes charitables trames! (II, 5, v. 511, 535-536).

LE DIABOLISATEUR DIABOLISÉ

Le système dramatique de la pièce renverse les situations. La caricature dont Arnolphe fait l'objet et l'antipathie qu'il suscite font de lui le diable, par opposition à Agnès qui incarne l'innocence et la pureté. C'est lui qui a le diable au corps comme Chrysalde le lui fait remarquer dès la première scène (v. 66, 169).

Avec beaucoup de finesse, Chrysalde démonte le comportement d'Arnolphe, continuellement en train de culpabiliser les autres pour des motifs en réalité fort suspects. Rappelons que le terme « diable » vient du grec *diabolos*, qui signifie calomniateur. Arnolphe, avec sa terreur maladive d'être trompé, ne vaut pas mieux que les fausses prudes avec leur suffisance moralisatrice et leur paraître vertueux. Chrysalde renverse le sens de la diabolisation. Les diables et les « diablesses » ne sont pas forcément ceux que l'on croit (IV, 9, v. 1289-1300).

Le dispositif dramaturgique transforme ainsi Arnolphe en avatar du diable, autrement dit en source de peur, comme l'exprime Georgette sans ambages :

> Mon Dieu, qu'il est terrible !
> Ses regards m'ont fait peur, mais une peur horrible,
> Et jamais je ne vis un plus hideux chrétien. […]
> Mais que diantre[1] est-ce là… (II, 3, v. 415-417, 419).

PEUR RELIGIEUSE
ET TRANSGRESSION

Le climat de peur et de culpabilisation dans lequel vit Agnès rend d'autant plus intense l'expression de ses émois et de son plaisir. Alors qu'Arnolphe vient de qualifier de « péché mortel » (II, 5, v. 599) sa relation avec Horace et déclare sur un ton grave

---

1. *Diantre* : déformation populaire pour diable.

« que par ces actions le ciel est courroucé » (v. 602), Agnès laisse éclater un mouvement de plaisir, lié à la surprise de l'amour :

> Courroucé ! Mais pourquoi faut-il qu'il s'en courrouce ?
> C'est une chose, hélas, si plaisante et si douce !
> J'admire quelle joie on goûte à tout cela,
> Et je ne savais point encore ces choses-là (II, 5, v. 603-606).

À l'acte V, la jeune femme oppose deux visions de l'amour, l'une qui a une apparence terrible, l'autre qui est attirante. Mais il est clair que la peur et la culpabilité suscitées par la première rend la seconde aussi délicieuse et désirable.

La peur et la culpabilité que fait peser Arnolphe ouvrent un espace de transgression qui exalte le désir autant que le plaisir comique. Le comique qui se dégage du personnage d'Arnolphe, mais aussi de la joyeuse inconséquence du jeune couple, va de pair avec le plaisir de voir s'exprimer ingénument le désir physique et la surprise délicieuse de la passion amoureuse. Le frôlement de la peur est un piment efficace pour intensifier le désir. En dramaturge libertin, Molière relie son désir de nous faire rire à la puissance de l'éros, sur fond de peur religieuse.

8 | Rire et langage

Le rire suscité par *L'École des femmes* provient largement de l'économie dramatique de l'intrigue, de l'agencement des situations en rapport avec l'évolution psychologique des trois personnages principaux. Mais ce rire carnavalesque découle aussi de la fête du langage. La pièce accumule trouvailles et bonheurs d'expression. La langue de Molière déploie une vigueur comique, une *vis comica*, qui procure une impression de dynamisme et de jubilation. La subversion de l'ordre établi, accomplie par la hardiesse d'Agnès et d'Horace, est portée par un usage ludique du vers et des mots qui ramène notre imagination à l'enfance et nous ouvre les portes de la plus authentique poésie.

VIGUEUR ET VARIÉTÉ
DES NIVEAUX DE LANGUE

Le vocabulaire tragique se caractérise par son niveau de langue élevé. Tous les personnages parlent de la même manière et usent des mêmes expressions. La langue comique de Molière brasse en revanche tous les langages. Une pièce comme *L'École des femmes* donne à voir par le biais des mots une société entière, vivante, bigarrée, en mouvement. L'impératif de la séparation des genres, ainsi que celui des unités, prônés par les théoriciens de son temps, pèsent à Molière. Son rêve, du début à la fin de sa vie, c'est le spectacle total, rassemblant toutes les formes d'expression de manière à procurer du plaisir au spectateur.

On est ainsi frappé, en lisant ou en écoutant *L'École des femmes*, par la variété des langages et des registres. Alain et

Georgette, en paysans, parlent une langue rudimentaire caractérisée par des phrases courtes, des onomatopées et des proverbes : « J'empêche, peur du chat, que mon moineau ne sorte » (I, 2, v. 207). Ils déforment les mots. « Stratagème » dans la bouche d'Alain est estropié en « strodagème » (I, 2, v. 211). Leur bêtise se traduit par le fait qu'ils ne perçoivent pas la différence entre les niveaux de langage et les attentes de leur interlocuteur. Ils réduisent ainsi les grands sentiments au niveau des besoins physiologiques et de leur environnement direct ; ils réfléchissent en outre avec lourdeur et lenteur, usant de métaphores triviales. Georgette ravale ainsi grossièrement Arnolphe au rang d'une bête de somme :

> Elle vous croyait voir de retour à toute heure ;
> Et nous n'oyions jamais passer devant chez nous
> Cheval, âne ou mulet, qu'elle ne prît pour vous (I, 2, v. 228-230).

Le notaire s'exprime quant à lui en pédant, dans le dialecte spécialisé des gens de loi, jargon incompréhensible pour le profane : « douaire », « préciput », « préfix », « hoirs », « dos », « conquêts » (IV, 4, v. 1053, 1060, 1064, 1066, 1070, 1074).

Agnès, au début de la pièce, utilise le langage des jeunes filles soumises à l'ordre bourgeois. Très vite cependant, elle saura trouver, notamment dans la lettre qu'elle adresse à son amant, le langage sensible et raffiné des grandes amoureuses (III, 4).

Horace connaît la phraséologie des romans d'amour de son temps. Sa parole très raffinée se fait lyrique pour chanter les charmes de sa belle (I, 4, v. 317-326).

Chrysalde, comme Arnolphe, s'exprime en bourgeois, qui ne dédaigne pas les expressions concrètes : « Je dis que l'on doit faire ainsi qu'au jeu de dés » (IV, 8, v. 1282). Mais il sait aussi parler en homme du monde, « en galant homme » (IV, 8, v. 1245). Son langage est celui de l'honnêteté, celui que l'on pratique dans les salons, un langage fait de mesure et d'ouverture à l'autre.

Sa langue précise et nuancée est celle des grands moralistes du temps, Pascal, La Bruyère, La Rochefoucauld, notamment quand il s'emploie à établir de fines distinctions :

> Une femme d'esprit peut trahir son devoir ;
> Mais il faut pour le moins, qu'elle ose le vouloir ;
> Et la stupide au sien peut manquer d'ordinaire,
> Sans en avoir l'envie et sans penser le faire (I, 1, v. 113-116).

LES LANGAGES D'ARNOLPHE

Le refus des circonlocutions

Arnolphe est le personnage dont les niveaux de langage sont les plus variés. Malgré ses défauts et sa conduite ignoble avec Agnès, Arnolphe s'impose à nous par son usage tonique et parfois désopilant des mots. Le dramaturge le crédite même d'une forme de naturel dans sa brusquerie et son refus des manières. Il va droit au but. C'est pourquoi on le voit donner à Horace, qui s'apprête à lui faire des politesses formalistes et cérémonieuses, une leçon de naturel :

> Hé ! mon Dieu, n'entrons point dans ce vain compliment
> Rien ne me fâche tant que ces cérémonies ;
> Et si l'on m'en croyait, elles seraient bannies.
> C'est un maudit usage ; et la plupart des gens
> Y perdent sottement les deux tiers de leur temps (III, 4, v. 847-851).

Ce peu de goût pour les entrées en matière cérémonieuses, c'est celui que Molière lui-même exprime au début de la pièce dans l'Épître liminaire qu'il adresse à Henriette-Anne d'Angleterre : « Je suis le plus embarrassé homme du monde lorsqu'il me faut dédier un livre, et je me trouve si peu fait au style d'épître dédicatoire que je ne sais par où sortir de celle-ci. » L'Épître dédicatoire était au XVIIe siècle un genre où se déployait toute une rhétorique de l'éloge emphatique et compliqué.

Ce qui caractérise la langue d'Arnolphe, c'est son caractère constamment concret et imagé, à la manière de Montaigne. L'idée chez lui aussitôt s'anime en image et en saynète (I, 1, v. 97-99 ; II, 1, v. 377) et sa verdeur populaire donne au propos de la force et de la gaieté.

Les tours d'expression d'un satirique

Avec cette langue drue et concrète, on n'est pas étonné qu'Arnolphe aime la satire. Comme Molière lui-même, il a l'art de se moquer de manière expressive des gens qu'il n'aime pas. Le terme « satire » est d'ailleurs utilisé par Arnolphe et par Chrysalde (I, 1, v. 43, 56). Le terme a le sens moderne de propos railleur qui moque un individu, mais, au XVIIe siècle, il désigne aussi un genre littéraire, illustré principalement par Mathurin Régnier (1573-1613) et Nicolas Boileau (1636-1711) : le long poème en alexandrins qui critique et caricature les mœurs corrompues des contemporains. De ce point de vue, la comédie moliéresque est issue en partie de la grande satire en vers illustrée par ces poètes.

La *Satire XIII* de Mathurin Régnier constitue ainsi une source évidente de la scène où Agnès parle de l'entremetteuse qu'utilise Horace pour entrer en relation avec elle (II, 5). Dans la satire de Régnier, Macette, l'entremetteuse essaye de pousser une jeune fille à s'enrichir en vendant ses charmes : leur conversation est entendue par l'amant de la jeune fille, qui n'est autre que le poète lui-même caché derrière une porte. Arnolphe se trouve dans la même situation : il écoute Agnès lui raconter comment l'entremetteuse la pousse à céder aux désirs d'un autre homme. La Macette de Régnier disait : « Et les traits de vos yeux, haut et bas élancés, / Belle, ne voyent pas tous les coups que vous faites [1] » ; l'entremetteuse de Molière dit : « Oui, fit-elle, vos yeux pour causer le trépas, / Ma fille, ont un venin que vous ne savez pas. »

---

1. *Satire XIII*, v. 251-252.

Comme Régnier et Molière, Arnolphe manifeste une grande verve dans la caricature des gens, et d'abord des maris trompés que l'on voit s'animer sous nos yeux dans une suite de petites saynètes (I, 1, v. 31-42). Arnolphe montre non moins de talent satirique pour se moquer des précieuses et des coquettes (I, 3, v. 244-248).

Arnolphe, acteur et metteur en scène

Arnolphe a des talents de poète satirique mais aussi d'acteur et de metteur en scène, comme l'atteste la scène où il fait répéter à ses valets la conduite à tenir quand Horace reviendra pour chercher à voir Agnès (IV, 5, v. 1106-1114). Scène passionnante où Arnolphe interprète le rôle d'Horace et prend la place de Molière metteur en scène. Dans cette scène de répétition, le metteur en scène marque sa satisfaction par des « Bon! » et « Fort bien ».

DÉCALAGE ET PARODIE DU TRAGIQUE

Comédie et tragédie

L'art tragique joue dans la vie de Molière un rôle considérable. Poussé à la perfection notamment par Pierre Corneille, il représente l'idéal en matière théâtrale et littéraire au XVIIe siècle. Toute sa vie, Molière rêve d'être un grand dramaturge à la manière de l'auteur du *Cid*, mais aussi un grand tragédien. C'est par le talent à écrire et à jouer des tragédies qu'il compte faire la conquête du roi. Or jamais, comme l'atteste l'échec cuisant de sa pièce héroïque intitulée *Dom Navarre ou le prince jaloux* (1661), il ne s'imposa comme auteur et acteur tragiques. Il était fait pour le comique, à son grand dam.

Cela ne l'empêche pas, avec les membres de sa troupe d'interpréter de nombreuses tragédies de l'époque, à commencer par celles de Corneille. Ses œuvres comiques se fondent sur le grand théâtre tragique de son temps. La respiration comique de *L'École des femmes*, l'organisation des situations, la question fondamentale du père n'ont vraiment de sens qu'en fonction de l'omniprésence et de la suprématie morale et esthétique de la tragédie classique. L'opposition du comique et du tragique apparaît comme une composante majeure du rire théâtral au XVIIe siècle. On interprète ainsi fréquemment une comédie ou une farce à la suite d'une tragédie. Les spectateurs de *L'École des femmes* ont ainsi à l'esprit les nombreuses œuvres tragiques auxquelles ils ont récemment assisté et qui constituent l'essentiel de l'activité théâtrale.

L'héroï-comique

Le plaisir de la comédie, quand elle est écrite en alexandrins, le grand mètre de la tragédie, repose principalement sur la parodie, le décalage entre style haut et bas, noblesse et bassesse, idéalisme et réalisme. Ce décalage prend d'abord la forme du comique appelé *héroï-comique*, qui consiste à utiliser une forme et des expressions nobles pour traiter de sujets bas, à l'opposé des grandes intrigues politiques et amoureuses de la tragédie. Dans *L'École des femmes,* un grand nombre d'alexandrins ont une forme qui évoque l'héroïsme des grandes œuvres cornéliennes. Arnolphe utilise souvent un ton sentencieux qui pourrait être celui d'un tragédien, mais l'applique au thème farcesque du cocuage : « Pour ce noble dessein, j'ai cru mettre en pratique / Tout ce que peut trouver l'humaine politique » (IV, 7, v. 1196-1197). Molière s'offre même, non sans malice, le luxe de conclure l'acte II en reprenant exactement une réplique de Pompée dans *Sertorius* (1662), pièce de Corneille : « C'est assez, / Je suis maître, je parle, allez, obéissez » (II, 5, v. 641-642). Le télescopage entre Pompée, le grand général et homme politique romain, et Arnolphe, bourgeois pataud embourbé dans ses affaires de cocuage, faisait beaucoup rire les spectateurs de 1662 et était une allusion connue de tous.

L'usage de l'héroï-comique n'est pas seulement parodique et comique, il sert aussi à Molière à creuser la psychologie d'Arnolphe et à mettre en évidence son ambiguïté. Celui-ci utilise parfois un style noble alors qu'il est ridicule, mais on ne peut s'empêcher parfois de compatir à la douleur qu'il exprime quand il évoque, à la manière des personnages tragiques, le destin qui l'accable et lui retire l'objet de son amour (II, 1, v. 385 ; II, 5, v. 565 566 ; IV, 8, v. 1182-1183).

Le burlesque

La proximité avec l'univers des grands sentiments et des actions héroïques de la tragédie est aussi l'un des ressorts du comique appelé *burlesque* qui consiste à user de termes bas pour traiter de sujets nobles. Molière use continuellement de cet effet de contraste. Il se plaît mettre dans l'alexandrin des termes bas et réalistes qui ne pourraient jamais figurer dans une tragédie. Le thème noble de la jalousie devient dans la bouche du valet Alain une affaire culinaire :

> La femme est en effet le potage de l'homme ;
> Et, quand un homme voit d'autres hommes parfois
> Qui veulent dans sa soupe aller tremper leurs doigts,
> Il en montre aussitôt une colère extrême… (II, 4, v. 436-439).

Le langage bas de la comédie, qui use d'un vocabulaire emprunté à la vie de tous les jours, tranche avec l'univers idéalisé de l'héroïsme tragique que l'on qualifie au XVIIe siècle de *sublime*[1]. Arnolphe, dans son entreprise d'abêtissement de sa future épouse entreprend précisément de l'empêcher à tout prix d'atteindre au sublime :

> Je prétends que la mienne, en clartés peu sublime,
> Même ne sache pas ce que c'est qu'une rime :
> Et, s'il faut qu'avec elle on joue au corbillon,
> Et qu'on vienne à lui dire à son tour : « Qu'y met-on ? »
> Je veux qu'elle réponde : « Une tarte à la crème » (I, 1, v. 95-99).

---

1. *Sublime* : état d'exaltation héroïque qui s'accompagne d'un langage reflétant une grandeur d'âme.

Mettre les termes bas « corbillon », « Qu'y met-on » ou « tarte à la crème », à la rime, est un procédé particulièrement efficace pour provoquer le rire. Dans cette optique, Molière recourt souvent à la rime burlesque qui consiste à associer un mot du langage soutenu ou élevé avec un terme bas ou très physique :

> Elle était fort en peine, et me vint demander,
> Avec une innocence à nulle autre *pareille*[1],
> Si les enfants qu'on fait se faisaient par l'*oreille* (I, 1, 162-164).

> Et, de quelque façon qu'on puisse avoir *vécu*,
> On est homme d'honneur quand on n'est point *cocu*
> (IV, 8, v. 1234-1235).

ARTICULATION ET DÉSARTICULATION DU VERS

L'utilisation de l'alexandrin constitue une autre grande source de comique. Molière articule et désarticule le vers avec une grande souplesse, en fonction de ses intentions comiques. Il en exploite toutes les possibilités. Tantôt il utilise dans un registre lyrique et grave, en résonance avec des genres sérieux ; tantôt il lui confère des effets de conversation courante qui peuvent aller jusqu'à la désagrégation complète du mètre.

Molière utilise le vers parce qu'il lui permet de savoureux effets de parodie burlesque. Il altère dans le sens du comique la respiration tragique ou lyrique, telle qu'on la rencontre par exemple chez Arnolphe ou Horace. Ce qui amusait beaucoup les spectateurs du XVIIe siècle, c'était d'entendre l'alexandrin proféré sur un ton prosaïque, dans des formules non recherchées et proches du langage de tous les jours. Il y a de l'impertinence au temps de Corneille à parler de la pluie et du beau temps en vers (II, 5, v. 459-463) :

---

1. C'est nous qui soulignons.

ARNOLPHE
La promenade est belle.

AGNÈS
Fort belle.

ARNOLPHE
Le beau jour!

AGNÈS
Fort beau.

ARNOLPHE
Quelle nouvelle?

AGNÈS
Le petit chat est mort.

ARNOLPHE
C'est dommage; mais quoi!
Nous sommes tous mortels, et chacun est pour soi.
Lorsque j'étais aux champs, n'a-t-il point fait de pluie?

Les vers frôlent ici la prose par leur fragmentation et par la banalité des termes. Mais l'effet comique est remarquable, notamment parce que Molière profane l'alexandrin tragique qui n'exprime que de grandes et belles pensées. Arnolphe ici, contrairement aux héros cornéliens, qui ne parlent que par sentences, nous livre avec aplomb des platitudes affligeantes sur la mort. Moins les personnages sont dignes, plus l'alexandrin se désarticule comme l'attestent les scènes où Arnolphe affronte Alain et Georgette (I, 2; IV, 3). Mais cette désarticulation peut coïncider avec des passages où l'intensité dramatique atteint un paroxysme. La passion fait irruption sous la forme d'une oralité qui disloque la structure binaire et harmonieuse de l'alexandrin.

Le passage sur le ruban (II, 5, v. 571-578) est à ce titre d'un comique admirable, qui joue sur la tension du vers et de la prose, le vers étant associé à l'univers tragique tandis que la prose connote l'oralité et le prosaïsme de l'univers bourgeois. Cette dislocation de l'alexandrin, qui vise à rendre le discours théâtral aussi proche que possible du langage parlé, crée un effet de vie et de réel. Il en va de même pour la lettre d'Agnès, texte en prose qui produit une impression de naturel et de sincérité en contraste avec l'artifice et la facticité associés à l'emploi de la versification (III, 4).

Molière peut aussi utiliser le vers pour figurer l'harmonie, notamment celle des amants, dont la stichomythie, soulignée par la rime, figure la réciprocité de l'amour (V, 3, v. 1464-1469) :

HORACE
J'en suis assez pressé par ma flamme amoureuse.

AGNÈS
Quand je ne vous vois point, je ne suis point joyeuse.

HORACE
Hors de votre présence, on me voit triste aussi.

AGNÈS
Hélas! s'il était vrai, vous resteriez ici.

HORACE
Quoi? vous pourriez douter de mon amour extrême!

AGNÈS
Non, vous ne m'aimez pas autant que je vous aime.

De même, le retour à l'ordre à la fin de la pièce se traduit par un récit à deux voix où Chrysalde et Oronte apportent, dans une suite de distiques à rimes plates, une solution harmonieuse au chaos où s'enfonçait l'intrigue (V, 9, v. 1750-1759).

C'est à juste titre que l'on considérait Molière au XVIIe siècle comme un poète comique. Ce n'est pas seulement parce qu'il utilise le vers qu'il est un poète, c'est aussi parce qu'il a le don de nous restituer, grâce au langage, la sensation du mouvement et de la vie.

TROISIÈME PARTIE

Lectures analytiques

Texte 1 | Acte I, scène 1
(vers 73 à 106)

ARNOLPHE

Mon Dieu, notre ami, ne vous tourmentez point :
Bien huppé qui pourra m'attraper sur ce point.
75 Je sais les tours rusés et les subtiles trames
Dont pour nous en planter savent user les femmes,
Et comme on est dupé par leurs dextérités.
Contre cet accident j'ai pris mes sûretés ;
Et celle que j'épouse a toute l'innocence
80 Qui peut sauver mon front de maligne influence.

CHRYSALDE

Et que prétendez-vous qu'une sotte, en un mot…

ARNOLPHE

Épouser une sotte est pour n'être point sot.
Je crois, en bon chrétien, votre moitié fort sage ;
Mais une femme habile est un mauvais présage ;
85 Et je sais ce qu'il coûte à de certaines gens
Pour avoir pris les leurs avec trop de talents.
Moi, j'irais me charger d'une spirituelle
Qui ne parlerait rien que cercle et que ruelle,
Qui de prose et de vers ferait de doux écrits,
90 Et que visiteraient marquis et beaux esprits,
Tandis que, sous le nom du mari de Madame,
Je serais comme un saint que pas un ne réclame ?
Non, non, je ne veux point d'un esprit qui soit haut ;
Et femme qui compose en sait plus qu'il ne faut.
95 Je prétends que la mienne, en clartés peu sublime,
Même ne sache pas ce que c'est qu'une rime ;
Et s'il faut qu'avec elle on joue au corbillon
Et qu'on vienne à lui dire à son tour : « Qu'y met-on ? »

Je veux qu'elle réponde : « Une tarte à la crème » ;
100   En un mot, qu'elle soit d'une ignorance extrême ;
Et c'est assez pour elle, à vous en bien parler,
De savoir prier Dieu, m'aimer, coudre et filer.

CHRYSALDE

Une femme stupide est donc votre marotte ?

ARNOLPHE

Tant, que j'aimerais mieux une laide bien sotte
105   Qu'une femme fort belle avec beaucoup d'esprit.

CHRYSALDE

L'esprit et la beauté…

ARNOLPHE
L'honnêteté suffit.

INTRODUCTION

Situer le passage

Ce passage appartient à la scène d'exposition de la pièce :
deux amis se rencontrent et Arnolphe, un bon bourgeois sûr de
ses valeurs, annonce à Chrysalde son intention d'épouser Agnès.
Son ami Chrysalde le met en garde contre les dangers d'un tel
mariage. Arnolphe le rassure : il a tenu la jeune fille à l'écart du
monde afin de la maintenir dans l'ignorance et dans la soumission.
Il en profite pour exposer sa vision des relations entre les hommes
et les femmes. La scène n'expose pas simplement deux
conceptions du mariage et de la nature féminine, elle nous
immerge d'emblée dans l'action dramatique, car elle intervient à
un moment décisif, la veille du mariage programmé entre le tuteur
et sa pupille.

Dégager des axes de lecture

On peut distinguer trois principaux niveaux d'analyse. Le
premier s'attachera à mettre en évidence le caractère d'Arnolphe.

Le second s'emploiera à dégager les enjeux soulevés par le motif du cocuage. Le dernier enfin s'efforcera à préciser les ressorts du comique.

LE CARACTÈRE D'ARNOLPHE

Despotisme et obscurantisme

Dans le théâtre classique, la scène première présente des informations sur l'intrigue qui se noue et sur les caractères. Ce passage attire plus particulièrement notre attention sur le caractère d'Arnolphe. Pour lui, celui qui a le savoir détient le pouvoir. En matière conjugale, il pense que sa femme sera d'autant plus sage qu'elle sera plus ignorante : les femmes ne doivent pas avoir « trop de talents » (v. 86) et garder « une ignorance extrême » (v. 100). Il s'emploie donc à « épouser une sotte » (v. 82), « une femme stupide » (v. 103), « une laide bien sotte » (v. 104). Il importe de la maintenir dans l'obscurantisme, autrement dit de ne pas éveiller son intelligence de manière à ce qu'elle dépende toujours des autres et demeure dans la servitude. Si Arnolphe sait, il ne veut surtout pas que sa future femme ait accès au savoir. Tel est bien l'enjeu du passage comme en témoigne la récurrence du verbe *savoir*. Le savoir concédé aux épouses est réduit au strict minimum : il concerne seulement la vie pratique et les travaux utilitaires.

Arnolphe exerce donc une sorte de tyrannie, de despotisme qui aliène la liberté de la jeune femme. Il l'asservit à la réalisation de ses désirs. Il exerce sans partage les pouvoirs du « maître » (v. 642), comme il se qualifiera à la fin de l'acte II. Son système repose sur l'idée que l'homme de toute manière est naturellement supérieur à la femme, qui doit demeurer dans une condition subalterne. Il abrite son despotisme avec le paravent de « l'honnêteté » (v. 106), qu'il charge ici de toute sa valeur bourgeoise : une épouse « honnête » ne vit que pour gérer le ménage et satisfaire les désirs de son mari. Son narcissisme est sans borne : il faut qu'on s'occupe sans cesse de lui. Il va même jusqu'à se comparer à « un saint » (v. 92).

Un bourgeois vaniteux et sûr de lui

Arnolphe nous apparaît comme un bourgeois très sûr de lui, qui se vante de savoir maîtriser l'avenir. Au début de la scène, on le voit se moquer des maris trompés par leurs femmes. Il ne se prive pas d'ailleurs de faire d'eux des « sujets de satire » (v. 44). Alors que Chrysalde le mettait en garde précisément contre un « revers de satire » – le moqueur doit craindre éventuellement d'être l'objet de la moquerie –, Arnolphe l'interrompt avec impatience. Il pense qu'il détient la vérité. Il aime les énoncés qui expriment la sûreté de ses convictions : « Je sais les tours rusés » (v. 75), « je sais ce qu'il en coûte » (v. 85), « Non, non, je ne veux point » (v. 93), « Je prétends que » (v. 95), « Je veux qu'elle réponde » (v. 99).

Sûr d'être dans son bon droit et d'avoir raison, Arnolphe est le sujet de presque toutes les phrases (« je » ou « moi, je ») tandis que sa future femme, Agnès, est toujours en position d'objet. Il la considère soumise à son bon vouloir. Sa vanité et son plaisir de dominer se traduisent en outre par l'utilisation des vers en forme de maximes ou proverbes (v. 82, 94…). Il pratique enfin volontiers l'ironie condescendante, qui fait mine d'adopter le point de vue de l'interlocuteur pour mieux le répudier : « Mon Dieu, notre ami, ne vous tourmentez point » (v. 73), « Je crois, en bon chrétien, votre moitié fort sage » (v. 83).

Chrysalde, le contrepoint d'Arnolphe

Arnolphe est représenté comme un personnage ridicule et odieux. Son extravagance et le caractère monstrueux de sa stratégie matrimoniale sont mis en évidence par le dispositif dramatique de la scène. Chrysalde intervient ici comme le contrepoint du protagoniste. Par son ouverture d'esprit et par son sens de la mesure, Chrysalde s'oppose aux idées et aux manigances de son ami, comme le ferait le spectateur. Autant Arnolphe se montre raide et intolérant, autant Chrysalde apparaît souple et compréhensif, en honnête homme. Il désapprouve l'enfermement et l'abêtissement auxquels Arnolphe condamne sa future épouse. « L'esprit et la beauté » des femmes (v. 106) sont pour lui des valeurs qui comptent; elles peuvent aussi bien conforter les relations entre un homme et une femme à l'intérieur du mariage.

La position mesurée et tolérante de Chrysalde a surtout pour fonction de mettre en évidence la folie d'Arnolphe (v. 103).

PEUR DU COCUAGE
ET CONDITION FÉMININE

La hantise du cocuage

L'École des femmes reprend le schéma dramatique de L'École des maris : Sganarelle, tuteur et amoureux de la jeune Isabelle, ne peut l'empêcher, malgré sa ruse et son habileté, d'aimer et d'épouser Valère. Comme Sganarelle, Arnolphe refuse d'être la dupe des ruses de la jeune femme qu'il s'apprête à épouser. Tout le système d'Arnolphe vise à rester le maître de la situation, à profiter de tous les avantages du mariage, mais aussi à se prémunir contre tout risque de tromperie et d'infidélité. Il ne veut pas être « sot » (v. 82), autrement dit cocu, en langage comique. Toute la scène développe ce motif farcesque du cocuage, symbolisé par les cornes. Elles font si peur à Arnolphe qu'il se contente de les évoquer par le pronom « en ». Dans son esprit, ces cornes symbolisent non seulement la honte vis-à-vis des autres, mais aussi la ruse féminine.

La conduite d'Arnolphe est motivée par le désir de protéger son « front de maligne influence » (v. 80). Le « front » est ici une synecdoque qui représente le symbole de la fierté et de la respectabilité sociale. Au début de la scène, Arnolphe s'en est pris à la coupable lâcheté des maris qui ferment les yeux sur les écarts de conduite de leurs épouses. Il poursuit cette satire des maris complaisants en se dissociant d'eux : « certaines gens » / « Moi, je ».

Arnolphe considère que le contact avec la société pervertit les individus et particulièrement les femmes. Il vit dans le phantasme de « l'innocence » (v. 79). C'est pourquoi il s'est ingénié à priver Agnès de toute culture et de toute ouverture.

Misogynie et antiféminisme

La position d'Arnolphe vis-à-vis de sa future épouse ne reflète pas seulement une donnée sociale, elle traduit aussi un mépris à l'égard des femmes. Ce mépris, partagé par bon nombre d'hommes de son époque, relève de la *misogynie*. Obsédé par l'idée de conserver sa puissance, Arnolphe a peur des femmes. Il redoute qu'elles veuillent contester son pouvoir et lui retirent ses prérogatives. La misogynie est depuis toujours l'un des ressorts les plus puissants du théâtre comique, notamment de la farce. Rire des femmes est pour les hommes un moyen de se rassurer sur leur identité et de se dédouaner de leur part maudite.

Dans *L'École des femmes*, la misogynie d'Arnolphe se double d'un *antiféminisme* : la misogynie exprime le mépris à l'égard des femmes, l'anti-féminisme le désir qu'elles ne sortent pas de leur condition inférieure en s'éveillant notamment à la culture. Il s'agit d'enfermer les femmes, physiquement, en les maintenant dans l'espace confiné du ménage, religieusement, en les culpabilisant, et intellectuellement en les empêchant d'apprendre et de s'instruire.

La diabolisation de la femme

Au XVIIe siècle, la femme est considérée sur le plan juridique comme une mineure. Son infériorité est cautionnée par la religion chrétienne. Pour l'Église, la femme doit être surveillée, car elle est un suppôt du diable. Elle ne peut mettre son savoir et son intelligence qu'au service du mal, à l'image d'Ève qui se laissa tenter par le serpent. Ce motif diabolique est constamment présent dans la pièce. Il apparaît dans notre passage lorsque le barbon explique comment il veut se protéger de la « maligne influence » de la femme (v. 80). L'adjectif « maligne » renvoie au

Malin, nom que l'on donne couramment à Satan pour mettre en relief sa malice et sa perversité. Face au Malin, Arnolphe se présente comme « un saint » (v. 92) avec prétention et mégalomanie. Il conçoit les relations avec les femmes comme une lutte qu'il décrit en déclinant le paradigme de la malignité : « tours rusés », « subtiles trames » (v. 75), « dextérités » (v. 77).

Comme les bourgeois de son temps, et comme Chrysalde dans *Les Femmes savantes*, Arnolphe veut cantonner la femme dans la dévotion religieuse, le culte de l'époux et les besognes domestiques ; elle doit se contenter « de savoir prier Dieu, l'aimer, coudre et filer » (v. 102). Lorsque nous verrons Agnès pour la première fois dans la scène 3 de l'acte I, elle sera conforme aux désirs de son maître, puisqu'elle apparaîtra « la besogne à la main » (v. 231), autrement dit en train de coudre.

LES SOURCES DU COMIQUE

Comique et contraste

L'un des principaux ressorts comiques repose sur le contraste qui s'établit entre d'un côté la femme telle que l'idéalise Arnolphe, sotte et soumise, et de l'autre la femme émancipée, autrement dit la précieuse ou la femme savante. La précieuse qui trône dans son salon est la hantise d'Arnolphe. « Femme habile » (v. 84), « femme fort belle avec beaucoup d'esprit » (v. 105), la précieuse s'émancipe à l'intérieur d'un « cercle », d'une réunion mondaine, ou bien en recevant ses amis dans sa « ruelle », c'est-à-dire dans sa chambre. Le barbon panique à l'idée qu'Agnès devienne une précieuse, férue de « beaux esprits » et de littérature (v. 87-96).

Les positions d'Arnolphe ont beau refléter beaucoup des préjugés des gens de son époque, elles apparaissent cependant dans les années 1660 déjà fort rétrogrades, renvoyant à des temps révolus. Depuis le début du siècle, les femmes se sont beaucoup émancipées, principalement dans le domaine moral et intellectuel, comme l'atteste le mouvement féministe de la préciosité.

Comique et folie

Arnolphe nous est présenté comme un fou, un extravagant, qui a perdu le sens du réel et qui ne sait plus communiquer sainement avec les autres. Cette folie est symbolisée par la « marotte » dont l'affuble Chrysalde (v. 103). La marotte est l'emblème traditionnel du fou : il s'agit d'un bâton au bout duquel s'accroche une marionnette, coiffée d'un bonnet de différentes couleurs. La folie d'Arnolphe est d'avoir une idée fixe, de vouloir imposer sa façon de voir au mépris du réel. Angoissé jusqu'à la panique par la perspective du cocuage, il sombre dans une sorte de folie qui lui fait considérer la vie avec une seule obsession : épouser une femme exactement conforme à ses désirs.

Comme beaucoup de fous, Arnolphe est un idéaliste. « L'innocence » est la qualité première qu'il demande à sa future épouse (v. 79). Ce phantasme le conduit à faire d'Agnès un être primaire qui demeure toujours au premier degré, comme l'attestent les vers qu'il consacre au jeu du « corbillon » (v. 97-99). Le terme « corbillon » a deux sens. Au sens littéral, il désigne un panier dans lequel on met des sortes de gaufres qu'on appelle « oublies ». Au sens figuré, il s'agit d'un jeu d'enfants où à la question « Corbillon, qu'y met-on ? », il faut répondre par un mot qui rime en « on ». En répondant « tarte à la crème », Agnès en resterait sottement au sens littéral de corbillon, c'est-à-dire au sens de panier destiné à recevoir des pâtisseries.

Comique et langage familier

La caricature d'Arnolphe est désopilante. Il s'exprime dans une langue vive et imagée, où l'idée est souvent soulignée par les sonorités et par le rythme. Prenons le vers : « Bien huppé qui pourra m'attraper sur ce point » (v. 74). La verve de cet alexandrin repose d'abord sur l'expression populaire « bien huppé », qui signifie *bien malin*, *bien fort*. En fait l'adjectif « huppé » vient de huppe, un oiseau portant une crête, connotant la hauteur de vue et en l'occurrence la sagacité. La force et la tonicité du vers sont accrues par le rythme parfaitement régulier du tétramètre, par la rime intérieure « huppé »/« attraper » et par l'allitération en « p » : « Bien hup*p*é/qui *p*ourra/m'attra*p*er/sur ce *p*oint ».

Arnolphe pratique aussi le jeu de mot quand il s'exclame : « Épouser une sotte est pour n'être point sot » (v. 82). « Sotte » a ici le sens usuel de stupide ; « sot » revêt ce sens, mais aussi comme souvent au XVIIe siècle le sens de *cocu*, de *mari trompé*. Le jeu de mot s'accompagne, en outre, d'une paronomase, d'un jeu phonique sur les sonorités : « *Épou*ser une *so*tte *est pour* [...] *sot* ».

Quant à la « tarte à la crème » (v. 99), qui fit tant scandale lors des premières représentations et qui alimenta la Querelle de *L'École des femmes*, elle provoque un effet comique irrésistible. L'expression prend un caractère de pure gratuité, dans la mesure où elle ne rime pas avec « corbillon » et donc sans raison, d'une fantaisie tout à fait débridée. Cette « tarte à la crème », provocante et impertinente est comme le symbole de l'imagination comique et poétique de Molière : elle vole à la tête de ses détracteurs comme dans les farces et les sketches burlesques.

CONCLUSION

Arnolphe, terrorisé par l'idée du cocuage, a bâti un scénario pervers, fondé sur le déni des lois les plus élémentaires du réel. Ce scénario repose sur l'enfermement et la séquestration d'une enfant destinée à être immolée à ses désirs égoïstes. La tension dramatique de la scène se nourrit de son aveuglement, mais aussi de l'opposition entre la folie du monomane et la position raisonnable de Chrysalde, premier spectateur de cette mise en scène du ridicule.

HORACE

[...]
Oui, ce dernier miracle éclate dans Agnès ;
Car, tranchant avec moi par ces termes exprès :
« Retirez-vous : mon âme aux visites renonce ;
Je sais tous vos discours, et voilà ma réponse »,
Cette pierre ou ce grès dont vous vous étonniez
915 Avec un mot de lettre est tombée à mes pieds ;
Et j'admire de voir cette lettre ajustée
Avec le sens des mots et la pierre jetée.
D'une telle action n'êtes-vous pas surpris ?
L'Amour sait-il pas l'art d'aiguiser les esprits ?
920 Et peut-on me nier que ses flammes puissantes
Ne fassent dans un cœur des choses étonnantes ?
Que dites-vous du tour et de ce mot d'écrit ?
Euh ! n'admirez-vous point cette adresse d'esprit ?
Trouvez-vous pas plaisant de voir quel personnage
925 A joué mon jaloux dans tout ce badinage ?
Dites.

ARNOLPHE

Oui, fort plaisant.

HORACE

Riez-en donc un peu.

Arnolphe rit d'un ris forcé.

Cet homme, gendarmé d'abord contre mon feu,
Qui chez lui se retranche, et de grès fait parade,
Comme si j'y voulais entrer par escalade ;
930 Qui, pour me repousser, dans son bizarre effroi,
Anime du dedans tous ses gens contre moi,
Et qu'abuse à ses yeux, par sa machine même,

Celle qu'il veut tenir dans l'ignorance extrême

Pour moi, je vous l'avoue, encore que son retour

935   En un grand embarras jette ici mon amour,

Je tiens cela plaisant autant qu'on saurait dire,

Je ne puis y songer sans de bon cœur en rire :

Et vous n'en riez pas assez, à mon avis.

Arnolphe, *avec un ris forcé.*

Pardonnez-moi, j'en ris tout autant que je puis.

HORACE

940   Mais il faut qu'en ami je vous montre la lettre.

Tout ce que son cœur sent, sa main a su l'y mettre,

Mais en termes touchants et tous pleins de bonté,

De tendresse innocente et d'ingénuité,

De la manière enfin que la pure nature

945   Exprime de l'amour la première blessure.

INTRODUCTION

Situer le passage

Dans ce passage d'un grand comique, la défaite d'Arnolphe se précise. Toutes les précautions qu'il a prises se révèlent sans efficacité. Agnès lui échappe inexorablement et c'est sur lui que se referment le piège et le dispositif qu'il a mis en place pour la séquestrer. À la fin de l'acte II, Arnolphe avait demandé à Agnès de rompre toute relation avec Horace et, si jamais il revenait, de lui jeter « un grès » (v. 635), autrement dit une grosse pierre. Au début de l'acte III, il triomphe : Agnès a en effet jeté de sa fenêtre une pierre sur Horace qui cherchait à la rejoindre ou du moins à lui parler. Son triomphe s'est accentué quand il a fait lire à la jeune fille *Les Maximes du mariage* (III, 2). Mais il doit bientôt déchanter. Horace lui raconte la scène du « grès » d'une manière qui va en modifier le sens. Le passage que nous étudions illustre l'enthousiasme lyrique du jeune homme, qui, en commentant ses

relations avec Agnès, constate que « l'amour est un grand maître »
(v. 900).

Dégager des axes de lecture

Il importe d'abord de mettre en évidence la complexité
dramatique de cette scène, puis nous montrerons en quoi Molière
nous présente une scène jubilatoire de triomphe de l'amour. Dans
un dernier moment de notre analyse, nous réfléchirons sur la
portée du rire qui est ici mis en œuvre.

L'ART DU RÉCIT

Un renversement de situation

Rappelons qu'Horace ignore que Monsieur de la Souche et
Arnolphe sont une seule et même personne. Il a fait d'Arnolphe
son confident, ignorant que ce dernier est aussi son rival,
provoquant ainsi le premier quiproquo qui lancera l'action. Au
début de la scène, Arnolphe est persuadé que les ardeurs
amoureuses d'Horace sont définitivement refroidies après le jet du
« grès » par Agnès (v. 892). Mais le plan prévu a été déjoué par
Agnès. Certes elle a envoyé le « grès », mais elle y a joint un
message amoureux. Ainsi l'arme de défense imaginée par
Arnolphe s'est transformée en moyen de communiquer et de
poursuivre la relation amoureuse (v. 914-915). Avec une grande
habileté Agnès a monté un scénario qui ménage les apparences
vis-à-vis de son maître tout en trouvant une issue à son désir
d'exprimer sa passion amoureuse. Les deux jeunes gens ont dès
lors pris le contrôle de la situation.

Un récit à fonction dramatique

L'action est fort riche et pourtant nous écoutons un récit.
Molière aurait très bien pu nous montrer le moment où Agnès
s'adresse à Horace et lui lance la pierre. Mais il a préféré mettre
cette scène à distance en la faisant raconter par le jeune homme.
Les détracteurs de L'École des femmes ont critiqué le statisme de

la pièce, son manque d'action, inhabituel pour une comédie. C'est que l'action dramatique se situe à un autre niveau pour Molière. Il s'agit moins pour lui de nous émouvoir avec les prouesses de deux amoureux que de nous rendre témoins des réactions d'Arnolphe. Molière nous place ainsi du point de vue de la victime.

Le récit s'inscrit en fait dans un jeu d'interlocution essentiel. Sans cesse Horace sollicite l'approbation d'Arnolphe au récit des exploits de sa bien-aimée et au ridicule de Monsieur de la Souche, en lui posant de nombreuses questions rhétoriques (v. 922-925). Loin d'empêcher le déroulement de l'action, l'usage du récit permet au contraire des effets de distance et de décalage, qui révèlent la face cachée des êtres et suscitent le comique.

Arnolphe pris à son propre piège

Contraint au silence, Arnolphe écoute, impuissant, les circonstances dans lesquelles il a été berné. Il est pris à son propre jeu, puisque dès le début de ses relations avec Horace il a dissimulé sa véritable identité. Il est même obligé, pour donner le change, de faire semblant d'en rire, comme le précisent les didascalies : « *Arnolphe rit d'un ris forcé* », « Arnolphe, *avec un ris forcé* ».

Mais il est aussi pris à son propre rôle. Au cours du premier échange qu'il a avec le jeune homme (I, 4), il explique le plaisir qu'il prend à se donner « la comédie » en assistant aux bons tours que des femmes rouées jouent à leurs époux, pour les rendre « cocus » (v. 298, 302). C'est donc tout naturellement que le jeune homme lui raconte les exploits d'Agnès, très étonné qu'il ne s'en amuse pas davantage : « Et vous n'en riez pas assez, à mon avis ».

Dans sa joie triomphale, Horace s'exprime en spectateur d'une farce où Arnolphe joue le « personnage » du « jaloux » (v. 924-925). C'est Arnolphe désormais, qui devient, à son corps défendant, l'objet de la moquerie, subissant le « revers de satire » que lui a prédit Chrysalde dans la scène liminaire (v. 56).

LE TRIOMPHE DE L'AMOUR

Horace, l'amoureux conquérant

On peut repérer dans cette scène un changement dans la distribution de la parole : c'est Horace qui monopolise la conversation, ce qui lui donne de fait un pouvoir sur son interlocuteur, Arnolphe, qui, ici, ne dit presque rien.

Dans le prolongement du début de sa tirade, Horace s'enflamme avec lyrisme et joie (utilisation de la ponctuation forte) pour décrire la victoire des amoureux. Il utilise le terme religieux de « miracle » (v. 910) pour qualifier la métamorphose d'Agnès sous l'influence de l'amour. Il use en outre du lexique de l'admiration et de l'étonnement : « j'admire » (v. 916), « n'admirez-vous point » (v. 923), « n'êtes vous pas surpris ? » (v. 918), « des choses étonnantes ? » (v. 921). Il ne formule que des questions rhétoriques (v. 918-924) qui n'appellent pas vraiment à une réponse de son interlocuteur dont les réactions sont indiquées dans les didascalies (« *ris forcé* » à deux reprises). Horace fait d'Arnolphe le témoin de sa propre défaite.

Son style prend même une allure plus heurtée et agitée quand il décrit sa lutte contre Monsieur de la Souche. C'est ainsi que, au vers 930, on trouve des allitérations en *r*, qui miment le danger : « Qui, pou*r* me *r*epousser, dans son biza*rr*e effroi » (v. 930). Mais au registre de la bravoure succède celui de la douceur élégiaque, quand l'amoureux évoque la lettre que lui a envoyée Agnès. Ce sont désormais les allitérations en « s » et « m » qui dominent : « Tout *ce* que *s*on cœur *s*ent, *s*a *m*ain a *s*u l'y *m*ettre » (v. 941).

Amour et aventure

L'amour donne de l'énergie et de la volonté pour surmonter les obstacles (v. 935). Il rend les amoureux inventifs et transforme leur existence en histoire, avec l'excitation de vivre une aventure. Le récit du jeune homme nous présente ainsi une lutte entre le maître de maison dans le rôle du dragon et les amants courageux.

Il s'agit de conquérir la belle en se lançant à l'assaut de sa maison transformée en camp retranché. Horace use du vocabulaire guerrier pour décrire ce mouvement de conquête : « gendarmé », « mon feu », « se retranche », « fait parade », « me repousser », « machine » (v. 927-932).

Le « jaloux » organise la résistance sur un mode militaire. « Faire parade », c'est parer un coup en escrime. Quant au terme « machine » il veut dire *machination*, mais peut aussi signifier engin de guerre, notamment dans la défense d'une forteresse assiégée.

La métamorphose d'Agnès

Pendant le début de l'acte III, Arnolphe pouvait se réjouir de voir une Agnès conforme à ses désirs. Mais Horace fait un tout autre portrait de la jeune fille, transfigurée par l'amour. Arnolphe n'avait pas prévu le pouvoir d'éveil à la vie et à l'intelligence que procure le sentiment amoureux. Or « l'amour est un grand maître » (v. 900), il donne un dynamisme et une grande sagacité pour se tirer des situations les plus compliquées : « L'amour sait-il pas l'art d'aiguiser les esprits » (v. 919). Et de fait, Agnès fait preuve d'une « adresse d'esprit » jusque-là insoupçonnée (v. 923).

Agnès a changé. La simplicité chez elle a fait place à la duplicité. Elle s'est montrée capable d'un double jeu lorsqu'elle a lancé la pierre, donnant le change à Arnolphe, tout en satisfaisant son amour. Elle est entrée en résistance contre son maître et geôlier. Agnès, telle que la décrit Horace, n'a plus rien à voir avec la jeune fille impuissante et accablée de la fin de l'acte II et du début de l'acte III. Cette scène représente bien un combat entre Horace et Arnolphe, mais c'est Agnès qui le gagne de l'intérieur : elle se libère elle-même de la tutelle d'Arnolphe.

Mais surtout la « pure nature » (v. 944) à laquelle Arnolphe a voulu réduire la jeune fille pour mieux la manipuler se retourne maintenant contre lui. La « pure nature » n'est plus synonyme de bêtise, elle exprime maintenant la spontanéité et le vitalisme de l'amour, la « tendresse innocente », l'« ingénuité », et « de l'amour la première blessure » (v. 943-945).

Arnolphe perd sur tous les tableaux : Agnès est devenue une fille pleine de ruse et de subtilité pour conduire ses amours ; elle montre dorénavant une « nature » à l'état brut, qui se confond avec l'instinct et le désir de se réaliser. Sa lettre exprimera « tout ce que son cœur sent », réalisant ainsi une parfaite osmose en l'être et le paraître, le « cœur » et la « main » (v. 941).

LA PORTÉE DU RIRE

Un comique de situation

Cette scène reprend au moins deux des schémas les plus éprouvés de la farce ou du conte à rire. Le premier concerne le trio du mari, de la femme et de l'amant, Arnolphe tenant en l'occurrence le rôle du mari jaloux. Ce type de scénario repose sur une tromperie, qui tourne en dérision le mari, en général trop vieux ou méchant, au profit des amours interdites de la femme et de l'amant. C'est un tel scénario qui se joue devant nous et Horace souligne la rouerie du bon tour qui a été joué à Monsieur de la Souche (v. 924-925). Réel et jeu de la fiction se confondent.

Le second schéma farcesque que Molière utilise ici est celui du « tel est pris qui croyait prendre » ou de « l'arroseur arrosé ». Arnolphe, qui s'est jusque-là présenté comme le pourfendeur des maris trompés et joués, se trouve exactement dans le type de situation comique dont il a l'habitude de se moquer. On rit de le voir puni de sa méchanceté, incapable de répondre au jeune homme, au risque de révéler le secret de son identité et de perdre définitivement tout moyen de contrôle sur les projets d'Horace dont il est le confident. L'amoureux transforme ici le confident en spectateur d'une comédie plaisante, d'un « badinage » (v. 925).

Une situation œdipienne

Le comique de cette scène repose aussi sur des scénarios plus archaïques, qui mettent en jeu les angoisses les plus anciennes et les relations parents/enfants, que Freud a décrites en les nommant

« complexe d'Œdipe ». Le spectateur rit ici de bon cœur devant la défaite d'une figure paternelle qui incarne l'autorité de manière monstrueuse et dévoyée. En même temps, nous sympathisons avec le fils qui se rebelle contre un père abusif. Horace considère en effet Arnolphe comme un père à qui il se confie en toute confiance, mais il ne sait pas que ce substitut paternel est aussi un rival. Le quiproquo permet la confrontation toujours éminemment dramatique du père et du fils. Le « personnage » qu'Horace met en scène est une figure paternelle source de peur et de violence. Il suscite l'« effroi » (v. 930) et cherche à nuire au fils rebelle. La comédie réactive cette peur archaïque du père pour mieux nous offrir le plaisir de la voir déjouée et désamorcée. Arnolphe, réduit au mutisme, figure la déroute de l'autorité paternelle.

Une fantaisie de triomphe

Cette scène très enlevée met en scène le rire qu'elle suscite. Horace rit et cherche à faire rire son interlocuteur : « Riez-en donc un peu » (v. 926) ; « Je ne puis y songer sans de bon cœur en rire ; / Et vous n'en riez pas assez, à mon avis » (v. 937-938). Le rire illustre le triomphe de l'amour. Il exprime la jouissance de voir triompher l'amour sur les forces néfastes qu'incarne Monsieur de la Souche. Nous rions de la situation farcesque qui le met au pilori, mais nous partageons aussi le rire du jeune homme, rire de jeunesse et de gaieté, qui donne à la comédie son rythme endiablé. Contrairement à Arnolphe, être de calcul et de « précaution », auteur de machinations savamment ourdies, Horace incarne l'improvisation juvénile qui triomphe parce qu'elle va authentiquement, aux yeux de Molière, dans le sens de « la pure nature » (v. 944) et de l'instinct. Horace est mouvement et poésie, tourbillon de jeunesse, c'est lui qui donne à la pièce son tempo rapide.

CONCLUSION

Ce passage nous offre ainsi deux facettes du rire moliéresque :
le rire satirique et vengeur qui triomphe de l'injustice et de la
méchanceté, mais aussi le rire de sympathie avec la jeunesse
victorieuse et allègre. Il nous révèle un Horace plein de grâce et de
confiance dans la nature, un Horace qui perturbe avec
impertinence l'ordre bourgeois et aliénant. Face à lui, nous voyons
un Arnolphe penaud et exclu de la fête : « Pardonnez-moi, j'en ris
tout autant que je puis » (v. 939). La scène fait en sorte qu'on se
réjouisse de son malheur, mais Molière nous rendra aussi sensible
à sa souffrance. Dans le monologue qui suit cette scène, on le
verra livré à la douleur d'être dépossédé d'Agnès, mais aussi au
martyre de l'amour : « Et cependant je l'aime, après ce lâche tour,
/ Jusqu'à ne me pouvoir passer de cet amour » (III, 5, v. 998-999).

Texte 3 | Acte V, scène 4
(vers 1580 à 1611)

ARNOLPHE

[...]

Hé bien! faisons la paix. Va, petite traîtresse,
Je te pardonne tout et te rends ma tendresse.
Considère par-là l'amour que j'ai pour toi,
Et me voyant si bon, en revanche aime-moi

AGNÈS

Du meilleur de mon cœur je voudrais vous complaire .
1585 Que me coûterait-il, si je le pouvais faire?

ARNOLPHE

Mon pauvre petit bec, tu le peux, si tu veux.

Il fait un soupir.

Écoute seulement ce soupir amoureux,
Vois ce regard mourant, contemple ma personne,
Et quitte ce morveux et l'amour qu'il te donne.
1590 C'est quelque sort qu'il faut qu'il ait jeté sur toi,
Et tu seras cent fois plus heureuse avec moi.
Ta forte passion est d'être brave et leste :
Tu le seras toujours, va, je te le proteste,
Sans cesse, nuit et jour, je te caresserai,
1595 Je te bouchonnerai, baiserai, mangerai;
Tout comme tu voudras, tu pourras te conduire :
Je ne m'explique point, et cela, c'est tout dire.

À part.

Jusqu'où la passion peut-elle faire aller!
Enfin à mon amour rien ne peut s'égaler :
1600 Quelle preuve veux-tu que je t'en donne, ingrate?
Me veux-tu voir pleurer? Veux-tu que je me batte?
Veux-tu que je m'arrache un côté de cheveux?
Veux-tu que je me tue? Oui, dis si tu le veux :

Je suis tout prêt, cruelle, à te prouver ma flamme.

AGNÈS

1605 Tenez, tous vos discours ne me touchent point l'âme :
Horace avec deux mots en ferait plus que vous.

ARNOLPHE

Ah! c'est trop me braver, trop pousser mon courroux
Je suivrai mon desscin, bête trop indocile.
Et vous dénicherez à l'instant de la ville.

1610 Vous rebutez mes vœux et me mettez à bout ;
Mais un cul de couvent me vengera de tout.

INTRODUCTION

Situer le passage

Cette scène de confrontation entre le tuteur et sa pupille constitue l'un des sommets dramatiques de la pièce. Métamorphosée par l'amour, Agnès a maintenant acquis une assurance et un aplomb qui lui permettent de tenir tête à son maître. Elle ne se contente plus de réagir passivement à ses demandes (III, 2) notamment en ce qui concerne le mariage (II, 5), elle affirme hautement et sans peur ses droits au savoir, à l'amour et au plaisir. Elle exprime sa volonté en s'affranchissant courageusement de l'autorité qui l'aliène et l'asservit. Mais l'intérêt de la scène vient aussi de l'évolution d'Arnolphe. Après avoir pris conscience de son amour pour la jeune fille, il laisse éclater une passion furieuse et maladroite. Le comique l'emporte, mais Molière confère à cette scène une grande profondeur en suggérant la situation tragique où se trouve le barbon qui perd ce qu'il possède et qui s'entend dire qu'on ne l'aime pas.

Dégager des axes de lecture

Le passage se présente d'abord comme un conflit qui oppose durement les deux protagonistes. Il porte en outre à son comble l'enfermement d'Arnolphe dans sa folie. Il met enfin en œuvre un rire outrancier qui désamorce la tentation du tragique.

UNE PAROLE TRAGIQUE

Des situations de tragédie

Le canevas de cette scène relève de la tragédie. Un personnage est passionnément amoureux d'un autre qui ne l'aime pas. Racine traitera largement ce thème, notamment dans *Andromaque* (1667). Arnolphe met tout en œuvre, utilise tous les arguments possibles pour persuader la jeune fille de l'aimer : « Et me voyant si bon, en revanche aime-moi » (v. 1583). À cela s'ajoute un autre thème éminemment tragique, celui de la jalousie. Arnolphe souffre d'autant plus de ne pas être aimé d'Agnès, qu'il la sait amoureuse d'Horace : « [...] quitte ce morveux et l'amour qu'il te donne » (v. 1589).

Pour les spectateurs de l'époque, le schéma dramatique de la scène évoque aussi un grand thème de la tragédie, la clémence : alors qu'il a la possibilité de se venger, le héros maîtrise sa passion et accorde le pardon à son ennemi. C'est le sujet de *Cinna*, de Corneille. Arnolphe se prend ainsi pour Auguste pardonnant à Cinna : « Hé bien! faisons la paix. Va, petite traîtresse, / Je te pardonne tout et te rends ma tendresse » (v. 1580-1581).

Mais c'est surtout le thème du destin qui apparente le plus ce passage à l'univers de la tragédie. La pièce se déroule comme une machine infernale qui pourrait broyer inexorablement Agnès, mais qui en fait va perdre le tuteur. Arnolphe ne peut échapper à la fatalité qu'incarne ici Agnès, après un spectaculaire renversement de situation. De ce point de vue, il connaît un destin tragique, à cause d'Horace qui a jeté un mauvais « sort » sur sa pupille (v. 1590).

Le registre tragique

Par son mouvement dramatique, cette scène ressortit donc à la tragédie. Et de fait, beaucoup de termes utilisés relèvent de l'intertexte tragique, tel qu'on le trouve notamment chez Corneille et Racine. C'est d'abord le vocabulaire de la passion amoureuse :

« ma tendresse » (v. 1581), « soupir amoureux » (v. 1587), « regard mourant », « passion » (v. 1598), « mon amour » (v. 1599), « ma flamme » (v. 1604). C'est aussi le registre de la colère et de la menace : « traîtresse » (v. 1580), « ingrate » (v. 1600), « cruelle » (v. 1604). Certains vers pourraient même figurer dans une tragédie (v. 1584-1585, 1604, 1607, 1610).

Molière utilise dans cette scène de violence et de passion un procédé fréquent pour exprimer le paroxysme des sentiments dans la tragédie, le passage du *vous* au *tu*. Au début de la scène, Arnolphe vouvoie Agnès, comme dans le reste de la pièce. Ce vouvoiement exprime le pouvoir du maître et sa supériorité sur la jeune fille. Dans ce passage en revanche, il passe brusquement au tutoiement : « Va, petite traîtresse » (v. 1580). Le tutoiement instaure une égalité entre les deux personnages, la tentative d'un rapprochement : Arnolphe met son cœur à nu, révélant l'intensité de son amour, mais aussi de sa souffrance. Mais lorsqu'il sent que la cause est perdue, il se cabre sur sa position de maître, retrouvant du même coup son vouvoiement habituel : « Et vous dénicherez à l'instant de la ville » (v. 1609).

Vouloir et pouvoir

L'essence du théâtre, par opposition au roman qui décrit des existences dans la durée, est de représenter au présent des conflits. Le théâtre oppose des désirs et des volontés contradictoires avec parfois des renversements de situation. Jusque-là Arnolphe demeurait le maître, même si de rudes coups ont été portés à son autorité par les récits d'Horace. Cette scène met définitivement la situation au clair : Agnès oppose une fin de non-recevoir au mariage qu'Arnolphe lui impose, mais aussi à sa déclaration d'amour.

Chacun des deux personnages est bloqué : ils ont beau *vouloir*, ils ne *peuvent* pas. Agnès met bien évidence ce mouvement dialectique : « voudrais » / « pouvais » (v. 1584-1585). Arnolphe tente de faire pression sur la jeune fille et de faire coïncider la realité avec la volonté : « tu le *peux*, si tu le *veux* » (v. 1586). Il va même, emporté par son amour, jusqu'à se soumettre entièrement à la volonté d'Agnès : « Tout comme tu *voudras*, tu *pourras* te conduire » (v. 1596-1597). L'anaphore des « Veux-tu » aux vers 1601 à 1603 souligne ce mouvement. Mais, devant le blocage de la situation, Arnolphe retrouve, en désespoir de cause, ses réflexes de maître chez qui coïncident volonté et pouvoir, au sens ici d'autorité : « Je suivrai mon dessein » (v. 1609) ; « Vous rebutez mes vœux et me mettez à bout » (v. 1610).

COMIQUE ET DÉDRAMATISATION DE LA PAROLE TRAGIQUE

Le décalage burlesque

Molière cependant, dans le rôle d'Arnolphe, cherchait surtout à faire rire aux éclats les spectateurs. Nous ne pouvons sympathiser totalement avec la souffrance d'Arnolphe, dans la mesure où ses élans d'amour et de désespoir sombrent aussitôt dans le ridicule. Si la scène peut parfois friser le tragique, elle est aussi profondément ancrée dans le registre comique. À peine le discours d'Arnolphe prend-il son envol qu'il retombe dans la grossièreté burlesque. Dans la tragédie, le discours se déploie dans un seul registre. Dans la comédie au contraire, les registres se mélangent et se télescopent. Ce mélange de hauteur tragique et de vocabulaire burlesque causait un vif plaisir aux spectateurs du XVIIe siècle, habitués à voir beaucoup de tragédies. Arnolphe ne peut s'empêcher de montrer la brutalité de ses sentiments. À un premier vers qui pourrait appartenir à un registre élevé du sentiment amoureux, succède souvent un alexandrin utilisant des termes bas et triviaux (v. 1588-1589, 1594-1595).

Ces décalages font qu'on ne peut adhérer totalement aux élans passionnels du barbon. L'expression « cul de couvent », qui conclut la scène résume par une sorte d'oxymore comique le caractère mixte du personnage : il mêle en effet un mot grossier et un mot noble, dont l'association paradoxale est soulignée par l'allitération en « c ».

L'animalisation d'Agnès

Les amoureux ont beau user volontiers de noms d'animaux pour évoquer l'être aimé, dans la bouche d'Arnolphe ces termes sonnent faux ou plutôt révèlent le fond de sa pensée : pour lui les femmes sont vraiment des « animaux » (v. 1579). Emporté par son lyrisme, il compare d'abord Agnès à un oiseau : « mon pauvre petit bec » (v. 1586). Cette expression de tendresse pourrait être acceptable, si elle ne détonait de manière ridicule avec les manières habituellement hautaines du personnage. L'expression « Je te bouchonnerai » (v. 1595) tombe quant à elle dans la grossièreté, puisque ce sont normalement les chevaux que l'on bouchonne, autrement dit que l'on frotte avec de la paille pour sécher la sueur. La conclusion du passage prouve que, chez Arnolphe, l'animalisation est un moyen de ravaler et d'humilier (v. 1608-1609). Le verbe « dénicher », métaphore expressive qui remplace ici le verbe *partir*, s'emploie d'abord pour les oiseaux qui quittent leur nid.

Les revirements d'Arnolphe

Le comique suppose une chute, une surprise. Arnolphe, qu'on a connu si sûr de lui, se traîne et s'humilie aux pieds d'Agnès. Le paroxysme de la dérision est atteint avec la série de propositions clownesques, rythmées par l'anaphore « Veux-tu » et débitées dans un mouvement de gradation (v. 1601-1602).

Ces propositions apparaissent tellement excessives et en rupture avec l'autoritarisme habituel du bourgeois sûr de lui que nous ne pouvons que rire. En effet, si les deux premières propositions sont acceptables et pourraient nous toucher, la troisième est absurde et rompt avec le caractère tragique des deux premières, créant un effet de chute qui entraîne le rire.

La satire des maris cocus et *Les Maximes du mariage* sont bien oubliées, Arnolphe accepte que sa future épouse soit « brave et leste », autrement dit bien mise et d'une élégance pimpante. Il est même disposé à ce qu'elle ait des amants : « Tout comme tu voudras, tu pourras te conduire » (v. 1596). Il s'agit d'un comble dans le renoncement et dans la déroute! Tant d'autodestruction, tant d'excès dans l'automutilation ne peuvent que déclencher l'hilarité et suspendre la compassion qu'on pourrait éprouver!

LA FOLIE D'ARNOLPHE

L'emprise de la passion amoureuse

Excessif dans la manière avec laquelle il a éduqué Agnès, qu'il a cherché délibérément à abêtir en la séquestrant, il se montre tout aussi déséquilibré dans sa façon d'exprimer sa passion amoureuse. Le même délire et la même passion de la possession exclusive continuent à l'habiter, mais en prenant une forme différente. On imagine Agnès épouvantée devant ces débordements d'amour. Son maître ne se maîtrise plus, comme il le fait remarquer lui-même en aparté : « Jusqu'où la passion peut-elle aller! » (v. 1598). Arnolphe ne se reconnaît plus, il ne sait plus qui il est : « Je ne m'explique point » (v. 1597), comme le souligne la ponctuation forte (points d'exclamation et d'interrogation).

Cet état de démence amoureuse connaît plusieurs phases en quelques vers : Arnolphe cherche d'abord à attendrir sa bien-aimée, avec des inflexions empruntées à la poésie élégiaque : « Écoute seulement ce soupir amoureux, / Vois ce regard mourant, contemple ma personne » (v. 1587-1588). Il suggère une complicité parfaite qu'emblématise la rime « toi »/« moi » (v. 1590-1591). Il passe ensuite au ton de la sensualité la plus directe et la plus animale : « Sans cesse, nuit et jour, je te caresserai, / Je bouchonnerai, baiserai, mangerai » (v. 1594-1595). Puis c'est le langage de la promesse : une fois qu'ils seront mariés, Agnès pourra faire tout ce qu'elle désire (v. 1596-1597). La dramatisation s'accentue alors : pour prouver son amour, Arnolphe est prêt à se mutiler, voire à se tuer (v. 1599-1604). Enfin, en butte à la fin de non recevoir de la jeune fille, il emploie le langage de la menace. Usant de ses droits de tuteur, il la mettra dans un « couvent », comme c'était l'usage au XVIIe siècle pour châtier les filles récalcitrantes qui n'ont pas voulu se plier aux arrêts de l'autorité paternelle.

Agnès à l'école de l'amour

Agnès tient tête au monstre qui l'agresse et qui tente de la soumettre de force. Non sans cruauté, elle humilie son ancien maître. Elle lui rappelle avec une grande force et une grande simplicité qu'on ne peut forcer les gens à vous aimer. Arnolphe vit dans l'illusion et dans ses chimères : « Du meilleur de mon cœur je voudrais vous complaire. / Que me coûterait-il si je le pouvais faire ? » (v. 1584-1585). Elle lui porte l'estocade quand, après son chantage au suicide, elle excite sa jalousie, en prononçant pour la première fois dans cette longue scène le nom de son amant : « Tenez, tous vos discours ne me touchent point l'âme ; / Horace avec deux mots en ferait plus que vous » (v. 1605-1606) et en utilisant le « vous », qui impose une distance, en réponse au tutoiement d'Arnolphe.

Agnès se libère dans cette scène d'une double contrainte, celle du père qui empêche l'adolescente de vivre ses amours à sa guise, et celle du jaloux, qui cherche à nuire à son amant. Non seulement Agnès ne veut pas épouser un homme qui pourrait être son père, mais elle fait aussi douloureusement sentir à son ancien maître qu'il n'a jamais su se faire aimer. La répartition de la parole est ainsi révélatrice du renversement de situation : en seulement quatre vers, Agnès prend le dessus dans ce passage et affirme sa volonté.

Le pathétique

Cette scène atteint des sommets dans l'expression de l'amour impossible. Molière touche au pathétique le plus profond en mettant en scène un homme qui d'un seul coup voit s'écrouler le rêve de sa vie, qui sent brusquement la femme qu'il aime lui échapper. Agnès, éprise d'Horace, ne se rend pas compte de la souffrance qu'elle cause à Arnolphe. Sur le mode comique, Molière exprime le désespoir de la passion amoureuse quand elle n'est pas partagée. En découle une confrontation où au sadisme du jaloux éconduit répond le sadisme d'Agnès, l'être de fuite. Arnolphe est un personnage sur qui plane l'ombre de la mort. Son chantage au suicide annonce sa mort symbolique à la fin de la pièce, quand il sera exclu définitivement de l'espace scénique. Poussée au paroxysme, la passion peut devenir une affaire de vie et de mort. Les mises en scène modernes, dans le sillage des romantiques, ont accentué cette dimension pathétique, allant même jusqu'à faire du protagoniste un personnage entièrement tragique.

CONCLUSION

À tous égards, cette scène stupéfie : Molière, à partir de cadres comiques conventionnels, sait néanmoins suggérer la complexité des âmes et la force des sentiments humains, que ce soit le désir de liberté d'Agnès, ou la souffrance d'amour d'Arnolphe. La variété des mises en scène atteste de la richesse d'un texte où le comique n'est pas seulement un moyen de déclencher le rire mais de toucher au mystère des êtres.

Bibliographie

SUR LA VIE DE MOLIÈRE

- DUCHÊNE ROGER, *Molière*, Paris, Fayard, 1998.
- MNOUCHKINE ARIANE, *Molière ou la vie d'un honnête homme*, film, 1978, Polygram vidéo.

SUR L'ÉCOLE DES FEMMES

- MONGREDIEN Georges, *La Querelle de l'École des Femmes*, Paris, Didier, 1971 (2 vol.).

SUR L'ŒUVRE DE MOLIÈRE

- BÉNICHOU Paul, *Les Morales du grand siècle*, Paris, Gallimard, 1948.
- DANDREY Patrick, *Molière ou l'esthétique du ridicule*, Paris, Klincksieck, 1992.
- DEFAUX Gérard, *Molière ou les métamorphoses du comique*, Paris, Klincksieck, 1992.
- MAURON Charles, *Psychocritique du genre comique*, Paris, José Corti, 1982.
- MAURON Charles, *Des métaphores obsédantes au mythe personnel, Introduction à la psychocritique*, Paris, J. Corti, 1988.
- REY-FLAUD Bernadette, *La Farce ou la machine à rire*, Genève, Droz, 1984.
- REY-FLAUD Bernadette, *Molière et la farce*, Genève, Droz, 1996.

Index

Guide pour la recherche des idées

Religion

Classicisme

Dramaturgie

Les références renvoient aux pages de ce Profil.

Ateliers **Bussière** à Saint-Amand (Cher) France.
Dépôt légal : juillet 2008. N° d'édit. : 40645. N° d'imp. : 082043/1.